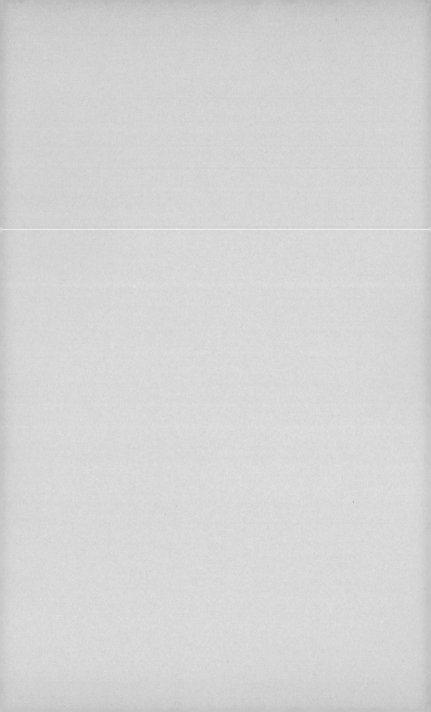

"인간"

완성을 향한 여정의 시작

"인간"

완성을 향한 여정의 시작

| | |
|---|---|
| **발행** | 2024년 06월 27일 |
| **저자** | 김병주 |
| **펴낸이** | 한건희 |
| **펴낸곳** | 주식회사 부크크 |
| **출판사등록** | 2014. 07. 15(제2014-16호) |
| **주소** | 서울특별시 금천구 가산디지털1로 119 A동 305호 |
| **전화** | 1670-8316 |
| **E-mail** | info@bookk.co.kr |
| **ISBN** | 979-11-410-9166-8 |

www.bookk.co.kr

# "인간"
## 완성을 향한 여정의 시작

정법 ㅣ 김병주 해설

**BOOKK**✏

# 친구도 가족도 자꾸 없어지는 시대

지금은 천지 모순 속에 있기 때문에 우리는 누구나 다 어렵다. 돈이 많아도 운용의 질량이 부족해 누릴 수 없어 어렵고 사람이 많아도 서로가 상식끼리 부딪히며 소통이 안 되어 모두가 어려운 것이다.

친구도 가족도 알게 모르게 자꾸 없어지는 혼탁한 이 사회. 이제는 근본이 되는 정답으로 소통을 일으켜 기운을 돌려주지 않으면 앞으로 많은 사람들이 우울증으로 아파진다고 한다.

절박한 생존의 기로에서 근본의 정답을 찾아야 할 때다. 과연 그 답은 어디에 있는 것인가? 원래 사람은 생활 속에 길이 있고 답이 있는 것인데 그 답을 찾지 못해 헤매고 어렵게 살은 것이다. 이제 그 답을 찾아 미래를 이끌어갈 신 패러다임 정법이 나

왔다.

정법은 세상 모순의 질병을 한꺼번에 잡아내는 영약이다. 우리는 누구든지 유튜브에 있는 정법을 깊이 있게 듣고 보면 내가 괜찮은 줄 알고 상식적으로 살았는데 전부다 틀리게 잘못 살았다는 걸 다 밝혀 준다.

예를 들어 생활 속에 남 탓하고 성내고 하는 것은 한달 후에 내가 아플 걸 지금 만들고 있었다는 사실을 우리는 모르고 하고 있은 것이다.

그리고 아이가 어릴 때 잘못하는 걸 방치하고 이 잘못들을 모으면서 키웠다면 나중에 학교 가서 왕따 당하고 폭행 당하게 되는 이 원리를 우리는 자연을 깨치지 못해 모르고 살은 것이다.

지금 우리가 키우고 있는 이 아이들은 뭐러 할 대상이 아니고 아이 잘못은 원래 없는 것이다. 내가 잘못 키워서 지금 요래 되었구나! 하고 나를 반성하고 아이를 이해시켜 줄 수 있는 내 실력을 갖추어야 한다.

그리고 또 우리가 누구를 돕는다고 물질을 주는 것도 상대를 나태하게 나쁜 버릇을 키워 자기 인생을 잘못 살도록 헤살 놓는 것인데 도운 줄 알고 착각하는 것이다. 지금 시대에 물질을 주는 것은 도와주는 게 아니고 내 말을 잘 듣도록 환경을 만드는 역할까지이고 그 환경으로 그 사람 정신을 일깨워 주고 정서를 키워 주는 것이 진정 그 사람을 돕는 것이다.

평소에 내 생각이 옳은 줄 알고 했지만 자연에 바른 게 아니라면 나중에 반드시 어떤 문제가 생기는 자연의 운행 원리가 있다. 친구도 가족도 모순투성이 과도기를 겪고 있는 우리 사회는 지금 냉철한 분별을 할 수 있는 법이 절실하다.

그 법이 바로 내가 10년 전에 유튜브에서 만난 정법 강의이다. 정법은 이 사회 모순의 근본을 찾아 오늘날 우리가 지금 무엇을 잘못하고 있는지를 낱낱이 풀어 지혜로 답해준다.

이제 나는 어른이 되었고 삶의 중요한 이 비밀을 마무리 공부에서 알게 되었고 이걸 모든 사람들에게 전달해야 한다고 생각했다. 이 책으로 더 많은 사람들이 정법 강의를 깊이 있게 알 수 있는 그런 계기가 되고 역할이 된다면 더할 나위 없는 감사한 마음이다.

2024. 6. 10

김병주 드림

목차

제1장

# 희망의 등대가 절실한 시대

## ◆ 정법 진리가 바로 희망의 등대다

세상에는 우연히 일어나는 일은
단 한 가지도 없다. 전부다 진행형으로
만들어서 일어난다.
그러니까 자연의 주파수에 내 기운을
맞추어 살면 탈이 나지 않게 되어 있다.

인류 역사는 선천과 후천시대로 구분된다고 합니다. 선천시대 2012년까지는 성장하면서 이루고 챙기고 욕심내면서 살아도 되었지만 이제 후천시대 2013년부터는 공적인 마인드로 질량이 충만한 사회를 만들어 신패러다임으로 운용을 잘 해서 빛을 내어야 하는 시대가 되었다고 합니다.

하지만 인류는 아직 질량 부족으로 신패러다임이 나오지 않아 지금 사회는 70% 정점에서 과도기를 겪고 있으며 모든 분야가 무너지고 특히 OECD 국가 중 대한민국은 청년

"인간" 완성을 향한 여정의 시작

자살률과 이혼율 등 나쁜 것은 전부 일등을 하는 대한민국이 되었습니다.

같은 원리로 우리 사람의 인체도 질량이 부족해 많은 사람들이 힘을 못 쓰고 아파지는 수가 점점 늘어나고 있다고 합니다. 우리가 인생 살면서 아프지 않고 사는 방법이 있다면 얼마나 좋겠습니까?

바로 그 방법이 지금 유튜브에 검증되어 올라와 있는 천공 스승님의 정법 강의입니다. 이 정법은 선천 시대의 모든 지식과 모순을 먹고 후천시대에 나온 자연의 법칙 진리 법문입니다. 생활 속에 일어나는 실제 상황을 질문받아 지혜로 풀어 이해를 시켜주는 고 질량의 법문입니다.

세상에는 우연히 일어나는 일은 단 한 가지도 없다는 것입니다. 전부다 진행형으로 만들어 일어날 이유가 있어 지금 일어나고 있다고 합니다. 몸이 아픈 것도, 묻지 마 폭행도, 그리고 교통사고가 일어나는 것도 세상에 어떤 살인 사건도 모든 것이 한 가지 원리로 일어나고 있는 것입니다.

이런 자연의 근본 원리를 전혀 모르고 살던 제가 수년간 정법 법문을 들으면서 엄청난 것을 이해하게 되었고 그래서 지금은 확실히 사는데 어려움이 없을 정도로 분별력이 높아졌다고 생각합니다. 생활 속에 간혹 시험공부 거리로 어떤 어려움이 오더라도 그 어려움이 왜 왔으며 내게 어떤 의미인가를 금방은 알지 못해도 하루 이틀 지나고 나면 그 일의 의미가 깨쳐집니다.

그동안 정법 법문을 들으며 가끔은 임상실험을 접하면서 많이 힘든 때도 있었다 생각 들지만 실제로 그것들을 더 깊이 있게 경험할수록 나의 환경 또한 그만큼 더 좋아져 왔습니다.

그리고 또 새로운 현실을 받아들이는데 조금도 의심이 없었던 것도 근본적으로 자신의 기운을 맑혀야 한다는 근본 원리를 알았기 때문입니다. 천지 창조가 일어났듯이 사건 사고가 왜 일어나는지? 인간이 왜 살고 있고 바르게 사는 게 어떻게 사는 건지? 인간이 생산한 문화와 지식과 말의 역할은 뭔지? 돈과 경제는 인간과 어떤 관계성을 가지고 있는지?

인간에서 비롯되는 모든 것은 자연의 에너지 질량을 품고 있는 "인기"라는 기운 덩어리 사람이 자연에서 운용하는 주파수 질량의 법칙에 같이 운용되고 있다는 사실입니다. 자연에서 나온 우리는 자연이 운행하고 있는 이 주파수에 내 기운이 맞지 않으면 탈이 난다고 합니다. 우리는 몸과 영혼 인기가 결합되어 인간이라고 합니다. 몸은 물질로 구성되어 있어 음식을 먹여야 하지만 내 영혼은 비물질이라 비물질인 지식을 먹여야 기운이 살아난다고 합니다.

그래서 몸과 정신이 밸런스가 맞아야 면역력도 생기고 세균 바이러스에도 힘을 쓴다고 합니다. 그동안 정법을 통해 새로운 삶에 대한 많은 해답을 얻게 되었고 또 희망의 바른 길을 찾고 나니까 나에게 인연 되는 모든 사람을 내가 이롭게 해야겠다는 홍익이념도 정립되었습니다.

무엇보다도 이 정법 강의는 남을 이롭게 할 수 있는 나를 만드는 원리가 담겨 있어 전달의 파급력 또한 강력하리라 생각합니다. 앞으로 이 정법 강의가 우리 국민 모두에게 희망의 등대가 되고 대한민국을 다시 새롭게 시작할 수 있는 그런 외통수 역할이 되었으면 합니다.

## ◆ 원래라는 건 원래는 없다

<u>차원이 다른 물질과 비물질만 있었고
원래는 아무것도 없었다.
뭐가 잘못되면서 우리 원소들이 천지
창조를 일으켰고 지금은 이걸 원상복구
하는 천지공사를 하고 있는 중이다.</u>

천지창조가 되기 전에는 먼지 보다 더 미세한 물질 분자만 있었고 그 안에 우리 비물질 에너지가 같이 있었을 뿐입니다.

어떤 것도 원래라는 건 원래 없었습니다. 천지 대자연에 <u>스스로</u> 있는 암흑물질 에너지가 원신 하느님이라 합니다. 이 암흑물질 안에는 세포 같은 "비물질 에너지"가 있는데 이게 바로 천상천하 유아독존 내입니다. 내가 우주에서는 이름을 원소라 하고 인간에 왔을 때는 인기이고 인생 시간

"인간" 완성을 향한 여정의 시작

을 마감하고 몸에서 빠져나가면 영혼기로 사는 장소와 이름이 바뀌는 것입니다.

나는 비물질 원소 에너지 "영혼불멸"이라 소멸되는 존자가 아니고 영원한 존엄성을 가진 개체 에너지입니다. 비물질은 물질하고는 차원이 달라 물질로 만들어진 블랙홀이나 태양 속에 들어갔다 나와도 나는 그대로 있는 겁니다.

뭐가 잘못되어 우리 원소들이 천지창조를 일으켰고 이걸 원상복구하는 천지공사하느라 수만 년 동안 삼사 차원을 윤회하면서 이제 질량을 다 채우고 2013년 후천시대부터는 순차적으로 상층계부터 윤회가 없는 마지막 인생이 나오는 겁니다.

원소가 인간으로 온 이유는 30% 모자란 질량을 채워 마지막 홍익 사람으로 성장해서 천지공사를 마무리하고 본향으로 원시 반본 승천하는 것이 목적이라고 합니다.

선천 시대 2012년 까지는 겁을 주는 불탄 지옥이 있었지만 후천시대 2013년부터는 지옥이 없어진 겁니다. 그 대신 살면서 다 겪게 하고 있다는 겁니다. 신도 아니고 동물도 아닌 중생으로 중간 삶을 사는 동안 내가 잘못하고 살면 정확히 벌이 내한테 다 오게 되어 있다고 합니다.

왜? 지옥이 없어졌으니까 내가 잘못한 것은 내가 겪어서 알게 해 준다는 겁니다. 이게 후천시대 자연의 운행 법이라 합니다. 선천 시대는 지옥으로 겁을 주고 도움도 주면서 인간을 키워 왔지만 이 인간들이 지금은 진화를 다 해서 다 커버렸어 지옥을 겁을 안내는 겁니다. 지옥 갈 때 가드래도 지금은 이대로 할란다. 이러거든요. 그러니까 지옥이 필요 없어진 겁니다. 그래서 없어졌다고 합니다.

지금은 내가 잘못한 건 내한테 전부다 돌려줘 공부를 시킨다고 합니다. 내 영혼의 질량을 키우고 확장시키기 위해 우리가 뭐를 잘못하면 스스로 어려움을 겪게끔 세팅을 그렇게 해 놓았다고 합니다. 말을 해도 함부로 가시 달린 말은 안 할수록 좋아요 그러면 내한테 돌아오는 게 없습니다.

아픔과 어려움이 오고 병이 오고 사고가 터지고 사자짓 할 인연이 오는 것이 전부다 내가 그 환경을 만들어 놓으니까 거기에 맞게 주파수가 걸려 그런 것들이 자동으로 일어나는 자연의 현상입니다.

예를 들어 내가 죽을 환경을 만들어 놓지 않으면 그 사람이 절대 나를 죽이지 않는다고 합니다. 내가 죽을 일이 없다면 대자연에는 절대 그 상대역이 만들어지지 않습니다. 그리고 또 우리가 화나는 것도 내가 그 사람을 이해 시킬 실력이 모자라면서 지금 그거를 하도록 하려고 욕심을 내는데 안되니까 화가 그렇게 나는 겁니다.

불평을 하고 화를 내는 것은 앞으로 나를 아프게 할 질량을 만들고 모으고 있다는 사실입니다.

우리는 그냥 모르고 무심코 하고 있지만 지금 시대는 질 높은 지식 사회라 질량의 법칙대로 운용이 되고 있다고 합니다.

큰일을 당하기 전에 작은 일로 미리 경고를 해주는 이 자연의 섭리를 깨치고 사는 사람에게는 엄청나게 유리한 환경이 펼쳐져 있는 것이 지금 시대라 합니다.

# 정법으로 새로운 시대를 맞이해라

상식을 깨는 진리가 정법이다.
내치지 말고 "일어날 일이 있어 지금
일어나고 있구나" 하고
받아들이는 방법을 배워라.
그러면 모든 것이 좋아지기 시작한다.

상식을 깨는 정법에서 지혜가 쏟아져 나오고 있습니다. 인류가 수천 년을 기다린 자연의 섭리 "진리"입니다. 오늘날의 모순을 모두 밝혀주는 진리의 법문을 만나 재미있게 들으면서 반성할 것은 반성해 가며 나의 모순을 깨치고 맑히면 어떤 병이든 깨치고 맑힌 만큼 낫는 쪽으로 방향이 잡힌다고 합니다.

마음을 열고 깨끗이 들으면 그렇게 되는 것입니다. 몸만 나으려 하면 아무리 들어도 낫지 않는다고 합니다. 새로운

"인간" 완성을 향한 여정의 시작

개념을 흥미롭게 깨끗이 받아들이고 진리 지식을 갖추어 생각의 확장성과 내 질량을 키우는 것이 핵심이라고 합니다.

누구나 정법 강의를 300강 이상 들었을 때 제일 먼저 나타나는 현상은 어떤 사람이 내 앞에 와서 묻지도 않았는데 자기 사정을 막 이야기합니다. 이 현상은 인간이 기운 에너지 교류형이라 주파수가 인연법으로 연결되어 그렇게 된다고 합니다. 그럴 땐 답을 내어주기 보다 겸손하게 잘 들어주고 공감해 주면 된다고 합니다.

정법 강의를 바르게 이해하고 나를 반성하면서 들으면 건강 문제는 반드시 해결 납니다. 듣기 전에 체크해 놓고 깨끗한 마음으로 의심 없이 300강 이상 듣고 다시 건강을 체크해 보시면 확연히 변화된 몸 상태를 확인할 수 있습니다.


정법은 생활 속에 보고 들리는 모든 환경을 내 잣대로 갖다 대고 아니라고 내치지 말고 "일어날 일이 있어 지금 일어나는구나" 하고 뭐든 깨끗이 받아들이는 방법을 배우고 이것을 깨치는 것이 정법 강의를 듣는 것입니다.

나를 돌아보고 짚어보고 나도 저런 모습이 있지 않았나 하고 내 공부거리로 받아들여 흡수하면 내 질량이 커지고 내공이 쌓이고 이것이 밀도가 높아져 문리가 터지면 분별력이 높아지고 이 힘으로 남을 도울 수 있는 하늘의 힘 지혜를 얻게 되는 것입니다. 지금은 인본 시대라 사람이 우선시되는 때입니다. 과거처럼 어렵다고 도술에 빌고 매달려서 되는 게 아니고 뭐든지 사람이 의논 동참해서 합의를 이루어 내면 땅신 관련 조상신들은 뒤에서 받쳐주는 역할로 운행 법도가 바뀌었다고 합니다.

이제는 사람이 하는 바른 일에는 어떤 것도 신들이 간섭하지 못하고 문제를 일으키지 못하는 겁니다. 그리고 자연은 항상 우리가 어떤 생각으로 사느냐를 묻고 그 환경으로 갈 수 있게 앞서 준비해 줍니다.

살아가는 생각이 높으면 받는 에너지가 다르고 분별력이 높아지고 자연에 힘을 쓰는 게 틀려집니다. 자연은 항상 사가 아니고 공으로 생각하는 질이 높은 쪽으로 발전하길 원하는 것입니다. "컵 제조회사 입사 동기 두 사람"에 대한 컵의 원리를 한 번 상기해 봅니다.

돈 벌어먹고 살려고 다니는 한 사람과 이 컵을 쓸 사람을 위하는 생각으로 다니는 한 사람. 이 두 사람의 10년 후 질적 수준은 무식한 사람과 지적인 사람으로 확연한 차이를 만들어 냅니다. 사람의 생각은 염력으로 중요한 것입니다.

지금은 밀도 있게 정리되고 있는 과도기라 아차! 실수에 개인도 단체도 대미지를 크게 입는 때입니다. 바른 걸 바르게 알지 못해 잘못하는 줄도 모르고 잘못해서 어려움을 겪는 그런 때가 온 것입니다.

정법 공부는 단순한 공부를 넘어 저에게는 새로운 삶의 희망과 용기를 선사하였습니다. 여러분도 세상에 없는 이 소중한 정법을 마음껏 한번 즐겨보십시오. 그러면 분명 잘 살아지고 좋은 일들이 생길 것입니다.

## 우리는 행하고 가야 할 의무가 있다

자연의 운행법칙에는
구간마다 행하고 가야 할 의무가 있다.
그 의무를 행하지 않고 가면
노력해서 올라갔더라도 끌어내려 버린다.


우리가 사회 초년생으로 처음 사회 활동을 시작할 때 선배들한테 도움을 받았듯이 우리도 후배들한테 도움되는 의무를 행하고 왔어야 하는데 그렇게 하지 못하고 온 것이 지금 우리 베이비부머가 어렵고 힘든 것이라 합니다. 조직이든 개인이든 우리는 구간마다 행하고 가야 할 의무가 주어지고 우리의 개념은 갈수록 발전해야 되게끔 되어 있다고 합니다. 행 해야 할 의무를 소홀히 하고 내 욕심만 가지고 간다면 열심히 노력해서 올라갔더라도 어느 시기 전환점이 왔을 때 그 의무를 행하고 가라고 그리고 다시 시작하라고 원상

복귀를 시키는 것입니다.

조직의 지위나 경제가 올라간 후 2년, 3년 후에 왜 떨어지는지 오늘날 우리 사회는 모르고 당하고 있는 것입니다. 자연에는 사람도 에너지 질량 운행의 법칙에 따라 움직여지고 있다고 합니다.

사회 활동을 하면서 좋은 사람 만나려고 들지 마십시오 사람은 그렇게는 바르게 만나지지 않는다는 겁니다. 정법으로 자신의 모지램을 갖추면서 질량을 채워야 합니다. 자연의 지식으로 질량만 채워 놓으면 사람도 물질도 모든 것이 딸려 오는 것입니다. 아직은 이해가 안 되겠지만 자연의 전유물인 인연법은 사람의 기운 에너지 주파수 연결법이라 합니다.

지식 공유 시대인 지금은 누구나 일반 지식으로는 식상하고 약해서 내 질량을 채울 수 없다고 합니다. 자연의 진리 지식만이 내 질량을 채울 수 있고 밀도를 강하게 해서 내공의 힘을 갖출 수 있다는 것입니다. 인간은 내공을 가질 수 있는 기운 에너지입니다. 우주 만물에 물질은 질량이 모이면 중력을 갖게 되어 뭐든지 끌어당기는 힘을 가집니다. 그래서 다른 물질을 끌어당겨 내 힘에 보태고 더욱 중력이 커집니다. 지구 물질도 그래서 이만큼 커진 것이라 합니다. 인간은 공부하는 이유가 내 영혼의 질량을 좋게 만드는 것입니다. 이것은 수많은 희생을 먹고 인류가 생산한 지식입니다. 이 지식은 내 영혼의 질량을 좋게 만드는 것입니다. 육신을 좋게 만드는 것이 아닙니다. 육신을 좋게 하는 것은 음식을 잘 먹고 질량을 잘 소화하면 좋아지는 겁니다.

문제는 영혼의 질량이 좋아지지 않으면 음식도 잘 먹지 못하고 그래서 육신도 안 좋아지는 것입니다. 내 영혼의 질량이 좋아지면 모든 걸 바르게 분별하고 음식을 먹어도 바르게 먹고 습관도 바르게 질서가 잡히고 이렇게 해서 전부 다 편안해집니다.

우리가 지금 공부하는 이유도 영혼의 밀도를 키우고 질량을 좋게 해서 맑히기 위한 것입니다. 사람 한테는 두 개의 에너지가 물질 에너지와 비물질 에너지를 가지고 있습니다. 육신은 물질 에너지이고 몸 안에 들어앉아 있는 영혼 이것은 비물질 에너지입니다. 이 두 개가 보태졌어 인간입니다. 그래서 사이 간자를 쓰고 동물도 아니고 신도 아닌 인간 중생인 것입니다.

내가 여기 앉아있는데 육신을 싸 악 걷어 내버리면 뭐만 남느냐 하면 내 영혼만 남는 것입니다. 이 영혼이 나입니다. 육신은 지식을 갖추는 연장입니다. 이 영혼을 맑히기 위해 우리는 지금 이 연장으로 공부를 하는 것이고 수련 수행을 하는 것입니다.

내 영혼이 맑아지고 내 영혼의 질량이 좋아지려면 지금은 정법으로 상식을 깨고 이해를 할 때 좋아지는 것입니다. 그러면 질량 있는 지식을 갖추게 되어 내 영혼의 밀도가 강해지는 것입니다. 영혼의 밀도가 강해지면 중력이 생기는 게 아니고 내공이 생깁니다. 내공이 깊어지고 강해지면 지금 미국에 있는 사람도 끌어 당겨 비행기 타고 오게 만들 수 있는 이것이 인간 내공의 힘이라고 합니다.

한 사람의 깨침으로 세상에 지혜를 얻는 원리가 쏟아져 나오고 있습니다. 지혜를 얻는 것은 하늘의 힘을 쓰는 것이고 내가 말하는 대로 이루어지고 자연의 신들이 움직이는 것입니다. 지금 우리 국민들은 지식은 다 갖추었는데 내공의 밀도가 약해 힘을 못 쓰고 있고 진리를 흡수하지 못해 어려움에 처해 있다고 합니다.

앞으로 우리 베이비부머들은 후배들을 비롯한 우리 국민 모두에게 희망을 가지게 하는 이 정법이 얼마나 소중한가를 바르게 전도하는 것입니다. 이것이 새 시대를 열어가는 초석이고 특별한 역할이고 홍익인간 선배로서 마땅히 행해야 할 의무인 것입니다.

# ◆ 인간 생명의 원리가 밝혀진다

임신을 하면 100일 만에 우주에서
원소 하나가 점지가 된다.
이 원소는 태아가 크는 만큼씩 오기
시작해서 시 때를 맞추어 도착하고
태아가 나오면 순식간에 육천 육혈
기문으로 원소가 비집고 들어간다.
이때 "마음에너지"가 생성되면서 인간
생명이 완성된다.


수년간 정법 강의를 듣고 나니까 인간에 대한 모든 궁금증
이 해소가 되면서 우리 인간이 왜 살고 있는지를 알게 되었
고 어떻게 살아야 하는지 이념의 좌표도 생겼습니다. 그동
안 진리의 가르침을 주신 지혜의 말씀 중 인간 조물에 대한
자연의 섭리를 정리해 봅니다.

우주의 빅뱅으로 열처리된 물질세계가 만들어지고 이 물

질세계 소우주가 운행되면서 제일 마지막에 우리 태양계와 지구가 만들어졌다고 합니다. 최초에는 은석이 지구로 날아들어 본래부터 은석 안에 존재하고 있던 정지 박테리아가 물과 빛과 온도가 맞아지니까 물 번식으로 생명체들이 살아나게 되었고 이 생명체들이 변종을 일으키면서 수많은 종류의 생물들이 탄생되었으며 오늘날까지 각기 그 환경에 맞게 모든 것이 진화 발전된 것이라 합니다.

우리 인간 육신을 조물한 것도 동물과 마찬가지로 엄청나게 크게도 만들었다가 늘보 같이 느리게 살게도 해보면서 여러 형태로 빚고 파괴하는 시험을 수없이 반복했다고 합니다. 그래서 지구 환경을 다 빚어놓은 바탕 위에 제일 마지막에 인간 육신 조물을 완성했다고 합니다.

인간은 육신과 원소가 융합되어 인간인 것입니다. 우주에서 탁해진 원소 에너지가 육신에 들어와서 활동하면서 나를 정화하기 위해 오장 육부를 만들어 먹고 입게 해 놓은 것입니다. 이것들을 매개체로 서로 교류하면서 모든 것들을 방편으로 탁해진 내 원소 에너지를 맑혀서 다시 천상 원대자연으로 회귀하라는 것입니다.

그러면 인간 육신과 원소 에너지가 어떻게 융합되어 인간이 되었는지 그 원리를 보면 우선 육신에 원소 에너지를 투입시켜야 하는데 그 조건이 육신에 회와 물을 3 대 7로 비율을 맞추어야 하고 이 육신에 6006개 기문을 만들어야 하는 것입니다. 그래야 아기가 태어나자마자 이 기문으로 방금 도착한 원소 에너지가 순식간에 비집고 들어가는 것입니다. 이때 아기는 자지러지게 울게 되고 울음을 다 울고 난 아기는 그때 마음 에너지가 생성된 상태이고 얼굴과 몸은 울기 전보다 훨씬 더 뽀송해져 있는 겁니다.

그러니까 차원이 서로 다른 원소와 육신, 이 두 차원이 순간 도킹을 한 것입니다. 이 도킹으로 모공마다 스파크가 일어나면서 생긴 6006개 입자가 기운은 끼리끼리 노는 원리로 저들끼리 좍 당겨 하나로 뭉쳐진 이것이 "마음 에너지"가 된 것입니다. 이렇게 해서 육신과 원소와 마음 에너지가 3복합체로 구성되어 동물과 다른 인간이 탄생된 것입니다. 동물은 영혼과 마음 에너지가 없고 천지 기운으로 만든 육신만 있기 때문에 우리 인간하고는 완전히 구분되는 것입니다.

만약 유체이탈을 해서 육신에서 영혼이 빠져나가게 되면 잘 훈련된 동물처럼 행위는 할 수 있지만 분별이 약해져 모든 일에 질이 떨어지는 것입니다. 인간은 영혼과 마음 에너지가 있어 이념 이상도 가질 수 있고 지혜도 얻을 수 있는 것입니다. 그래서 우리 인간은 지구에 있는 모든 구성물과 방편들을 활용해서 근본적으로 내 영혼의 에너지를 맑혀야 하는 목적이 있기 때문에 만물의 영장이 된 것입니다. 우리가 결혼을 해서 임신을 하면 100일 동안 태아가 만들어지는 그 육질의 질량에 맞는 영혼이 우주에서 점지가 됩니다. 100일 안에는 영혼이 점지가 되지 않기 때문에 유산을 해도 문제가 되지 않지만 100일 이후부터는 문제가 다른 것입니다.

모든 전생의 죄업을 갚을 수 있는 인연법이 작동되어 최고로 적합한 영혼이 자식으로 선택되어 100일이 되면 우주에서 출발해서 태아 육질이 만들어지는 만큼씩 오기 시작합니다. 태아 육질은 10개월 동안 태교를 받으며 잘 성장해서 영혼이 오는 시 때를 맞추어 육질이 산모 몸 밖으로 나오면 나오자마자 영혼이 들어가는 것입니다.

태아 육질이 산모 몸 밖으로 금방 나왔을 때 잠깐 동안은 아직 동물이지 인간이 아닌 겁니다. 인간 형태를 갖춘 동물 육신입니다. 여기에 육천 육혈 기문으로 내가 들어가니까 영아가 갑자기 소스라치게 울음이 터지고 울음을 멈추고 옹알거릴 때는 이미 영혼 내가 안착이 되었고 동시에 마음에 너지가 생성되어 인간이 완성된 것입니다.

내가 들어가면서 생긴 6006개의 파일 입자들이 대우주의 구성 물질을 강력하게 잡아당겨 하나로 뭉치게 되는데 이것이 '마음에너지'입니다. 대자연에서 우리 인간을 만들 때 많은 실패를 한것도 마음에너지가 생성되지 않았던 것입니다. 이 마음에너지는 6006개의 파일로 되어 있으며 내가 전생에 살았던 모든 파장. 주파수의 기억장치라고 합니다.

이 장치가 대자연과 항상 주파수를 연결하고 있어 나의 모든 일거수일투족을 보내주기도 하고 나에 대한 대자연의 정보를 받아들이기도 합니다. 마음에너지는 나에게 옳고 그름의 분별을 알려 주고 뭐를 잘못을 했을 때는 양심의 가책을 받게도 해줍니다.

그리고 우리가 항상 잘되고 발전하는 쪽으로 기운을 몰아주고 환경을 만들어 준다고 합니다. 또한 지식을 먹고 진화 발전할수록 마음에너지가 더 큰 힘으로 더 정확한 일들을 하게 된다는 것입니다. 인생 시간을 마감하고 육신을 떠날 때 마음에너지는 자동 파괴되지만 그 안에 수록되어 있는 나의 모든 정보 파일은 대자연으로 들어가 그대로 남게 된다고 합니다.

인간 과학시대를 열어가고 있는 정법 강의입니다. 천지 아래 무엇이든 지혜의 답으로 풀어주는 이 정법은 우리가 잘못 살아 아프고 어려움을 겪지 않도록 자연의 기운에 맞추어 바르게 사는 길을 인도하는 생활 도입니다.

이제 여러분도 보다 나은 윤택한 삶을 위해 이 정법으로 임상실험을 한번 시도해 보면 어떨까 싶습니다.

# ◆ 사람 공부 중에는 알고도 몰라라

<u>알고도 겸손하게 모르는 것과 몰라서</u>
<u>모르는 것은 다르다.</u>
<u>공부의 척도는 나의 겸손함 이다.</u>
<u>보고도 못 본체 넘길 줄도 알고 모든 걸</u>
<u>포용할 때 내 질량이 갖추어진다.</u>

사람 공부는 잘못된 습관과 나의 모순을 찾아 고치려 노력하는 것입니다. 이제는 우리가 사람을 잘 대할 줄 모른다면 질 좋은 삶을 살 수가 없으며 혼자는 절대 잘 되는 세상이 아니라고 합니다. 사람과 사람이 어떻게 교류하며 사느냐에 따라 삶의 질이 달라지는 것입니다. 바른 공부를 하면서 교류할 때는 알고도 몰라야 합니다. 알고도 겸손하게 모르는 것과 몰라서 모르는 것은 다른 겁니다. 알고도 모르는 것은 내가 알면서도 뭔가 아는 척을 안 하고 항상 보고 있는 겁

니다. 알면서도 바보 되라는 것은 말 안 해도 다 보이지만 아직은 공부가 부족하니까 바보처럼 해서 뭔가를 자꾸 끌어 들이라는 것입니다.

재료가 더 들어와야 문리가 일어나기 때문입니다. 문리가 일어나려면 아직 재료가 더 들어와야 하는데 똑똑한 사람은 재료가 조금 들어오면 그걸 바로 써먹는 바람에 그다음 재료가 더 이상 못 들어오게 하는 겁니다.

그래서 30% 갖춘 사람이 말이 많은 것입니다. 70%쯤 갖춘 공부 된 사람은 항상 말이 없으며 상대가 잘못한 것을 다 감지하고는 있지만 가만히 보고 있으면서 알아서 행동합니다.

그런데 30% 밖에 모르는 자는 상대가 아닌 소리를 하면 그걸 가지고 왈가왈부합니다. 덜 갖춘 자는 상대가 모르면 네가 모른다고 싸웁니다. 공부가 다 된 사람은 저 사람이 잘 모르고 행동하면 그것도 이해를 하며 옳니 그르니 하지 않고 알고도 몰라라! 하는 겁니다. 공부의 척도는 겸손입니다. 10%로 겸손해지면 10% 공부가 된 것이고 30% 겸손해지면 30% 공부가 된 것입니다.

상대를 존중하고 상대의 말을 먼저 들어주는 사람이 공부 된 겸손한 사람입니다. 겸손한 사람은 힘들어지지도 아프지도 않으며 주위에 좋은 사람들이 찾아들고 나쁜 환경들은 떠나게 됩니다.

공부가 안되고 어려워진 사람은 입부터 닫아야 합니다. 입을 닫고 귀를 열어 어떤 소리도 달게 받아먹어야 그것이 영양으로 변해 나를 소생시키는 것입니다. 어려움이 오고 아픔이 오고 묻지 마 폭행이 일어나는 것도 대자연의 운행 원리에 역행해서 내한테 오는 것인데 이런 것이 사람 공부 인지를 우리는 모르고 있는 것입니다.

교통사고가 나고 장애가 생겼다면 내가 그동안 잘못 산 것이 이렇게 다가온 것이구나! 하고 원인을 찾고 깨달아야 그 환경에서 벗어나는 것입니다. 대자연이 우리를 공부 시킬 때는 오만가지 일이 다 벌어지는 것입니다.

내 앞에서 어떤 일이 벌어지는 것은 넌 이걸 보고 어떻게 할래? 하며 자연은 보고 있는 것입니다. 어떤 사람이 네 앞에서 못난 짓을 하고 있는데 네가 그걸 보고 어떻게 하는가를 보고 있는 겁니다. 갖춘 자는 안된 걸 보고 가만히 있을 줄도 알아야 하고 저렇게 밖에 생각을 못 할까? 하면서 그 사람한테 어떻게 하면 필요한 사람이 되고 어떻게 도움이 될까를 생각해야 합니다.

내 앞에서 아닌 짓을 하는 게 보일 때는 아직까지 그 공부를 시키려고 그 자리에 놔둔 것임을 알아야 합니다. 어느 정도 공부가 다 되고 나면 그 사람이 그 행동을 내 앞에서는 하지 않게 되는 것입니다. 갖춘 사람은 아닌 짓을 하는 걸 보아도 같이 섞이지 않지만 질량이 낮은 사람일수록 빨리 섞인다고 합니다.

질량만 크고 갖추지 못한 사람은 사람들을 거느릴 수도 이끌 수도 없고 상대방의 못난 짓을 보기 싫어하며 잘 못하는 사람들을 나무라고 질책을 합니다. 나 자신보다 조금 낮은 사람들을 보고 질책하기 보다 이 사람들을 잘 다스릴 수 있는 뭔가를 찾으라고 거기에 같이 있는 것이니까 보고도 못 본체 넘길 줄도 알고 포용할 줄 알 때 그때 내 질량이 갖추어지는 것입니다.

그리고 자연에서는 항상 닥칠 일을 미리 예고해 줍니다. 아픈 사람을 자주 보는 사람은 다음에 아플 사람이고 차 사고를 자주 보는 사람은 다음에 내가 차 사고가 난다는 걸 미리 예고해 주는 것입니다.

남이 하는 말을 듣거나 미디어로 자주 접하게 되면 그 기운의 30%가 내한테 뻗친 것입니다. 이것을 남의 일로 여기고 그냥 흘려 보내면 결국 내가 현장 체험을 하게 되는 기운이 70%까지 뻗친 상태가 되는 겁니다.

이렇게 가서 보고도 못 깨우치면 결국 그 일을 직접 당하게 되는 겁니다. 남이 아픈 것이 보일 때는 얼른 나를 돌아보고 내 공부로 삼아야 합니다.

우리가 딱히 할 일이 없을 때는 공부할 때라고 합니다. 인성에 도움 되는 정법 강의를 듣던 자기 개발을 하던 한 뜸이라도 나를 갖춰야 하는 겁니다. 잘 갖춰 있는 사람은 하늘이 절대 그냥 놔두지 않고 정확하게 쓰일 때가 온다고 합니다.

한 시라도 헛되이 보내지 마시고 내한테 보이고 들리는 모든 것을 내가 흡수하는 연습을 공부로 삼으십시오.

# ◆ 과거와 달리 운행 법도가 바뀌었다

<u>땅신들이 앞에서 인간들을 보살피고
성장하는 데 도움 주던 시대에서
어른으로 다 성장한 인간들을 하늘에서
직접 다스리고 땅신들은 뒤에서
받쳐주는 역할로 운행 법도가 바뀌었다.</u>

우리가 살면서 원래는 어려움도 아픔도 겪지 않고 바르게 사는 길이 있다고 합니다. 그런데 오늘날까지 자연의 이치를 깨치지 못해 모르고 그냥 겪으면서 살아온 것입니다.

이제 지금은 인간이 바르게 사는 정법이 나왔습니다. 이 정법으로 자신의 모순을 깨치고 그 모순을 고쳐서 어려움을 겪지 않고 살아갈 수 있는 시대가 된 것입니다.

이때를 맞이한 우리 베이비부머 세대가 앞으로 제일 먼저 해야 할 일은 과거 방식을 놓고 지금 달라진 자연의 운행

법을 정법을 통해 배우면서 나를 공부하고 나의 모순을 깨치는 일입니다.

그래서 나를 바르게 잡아 나가니까 내 환경이 좋아지고 좋아진 그 힘으로 아직 정법을 모르고 사는 후배들을 나 같이 좋아지게 이 정법을 전하는 일입니다.

자연의 과거 운행방식은 인간들이 아직 지식 성장이 덜되어 지식 질량이 부족했고 자연이 뭔지 신이 뭔지도 모르고 무식할 때 이니까 땅신들이 앞에서 이끌면서 인간들을 보살피고 성장하는 데 도움을 주는 쪽이었습니다.

그런데 이제 지식 성장이 끝나고 지식 공유 시대가 된 지금은 월등하게 똑똑하고 강해진 인간들을 땅신들이 이끌기가 버거워 운행방식을 바꾸었다는 것입니다.

이제는 하늘에서 직접 인간들을 다스리게 되어 있고 땅신들은 앞이 아니고 뒤에서 힘이 되어 주고 다 성장한 인간들은 이제 어른이 되었다고 하는 겁니다.

수만 년 동안 인간 영혼들이 진화하면서 생산해 온 지식의 성장이 끝나고 이 지식을 다 갖춘 지금의 사람들은 최고의 질량으로 높아진 것입니다. 그래서 지식의 힘보다 약해진 도술 땅신들이 앞에서 이끌 수 있는 힘이 못되고 뒤에서 받쳐주는 힘만 되니까 도술의 힘이 우리한테 이제 안 먹히는 시대가 된 것입니다.

이제는 지식인의 지식에 자연의 진리를 융합해서 지혜로 사람을 바르게 이끄는 멘토들이 출현한다고 합니다.

　아직은 아니지만 앞으로 지식 질량이 충만한 이 사회에서는 살아 보겠다는 이념이 없으면 짐승같이 살아야 하는 정법 시대가 온다고 합니다. 내가 모른다고 해서 누구한테 도움을 받고 신한테 의지할 수 있은 때는 2012년을 기준으로 끝이 났다고 합니다.

　이제는 자신이 모든 걸 알아서 해야 하고 주인이 되어야 하는 시대가 되는 것입니다. 그래서 운행 법도가 바뀌었다 하고 자연에서 정법을 내어주어 이 정법을 장착한 홍익인간 도인들이 이제 사람을 이롭게 하는 홍익 이념을 바탕으로 인본 시대를 열어 모두가 잘 살아지는 시대를 만들어 간다고 합니다.

# 지구 교화소

(정화 활동을 하는 신들의 학교)

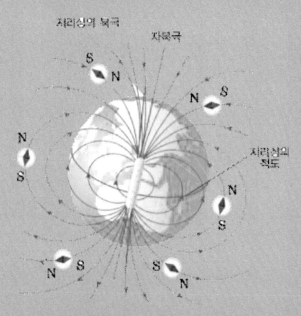

* 3 : 7의 법칙이 운행되는 지구 행성

제2장

# 근본 핵심
# 두 가지로 몽땅 풀어라

## 바르게 사는 운행의 원리가 있다

대자연 우주에는 스스로 운행되는
근본 주체자 원소라는 개체 에너지가
본래부터 있었다.
그리고 3 대 7이라는 근본 원리 함수가
본래부터 존재하고 있었다.
이것이 우리 인간으로 온 원소이고
3 대 7의 법칙으로 바르게 사는 원리다.

유튜브 정법 시대 홈에 들어가면 생활 속에서 일어나는 모든 어려움을 지혜로 풀어서 답을 내어 주는 정법 강의들이 많이 있습니다.

저는 수년 전에 이 정법을 만나서 지금까지 이것을 꾸준히 듣다가 보니까 사람들이 살아가는 환경이 보이고 또 세상 돌아가는 게 보이는 겁니다. 사실 이 정법 강의를 듣기 전에는 사람이 왜 사는지? 우리가 배운 이 지식과 문화가 뭔지? 또 천지 대자연과 인류는 미래에 어떻게 되는지?

이런 근본을 모르고 그냥 살았는데 이제는 이 공부가 좀 되다 보니까 그리고 또 이 공부가 일반 지식이나 상식보다 한단 위에 공부이다 보니까 나름대로 모르던 것도 많이 알게 되었고 또 살아가는 생활방식도 자연에 맞게 하니까 모든 게 바르게 잡히고 삶이 좋아진 겁니다.

우리가 보통 하는 말로 좋은 얘기는 많이 들을수록 좋고 안 들으면 그만이고 이런 게 아니고 이건 꼭 듣고 알아야 앞으로 살아가는데 힘들고 어려워지지 않는다는 겁니다. 지금까지 살면서 이런 기이한 거는 진짜 듣지 못했고 또 세상에 안 나왔던걸 처음 접하는 거니까 와! 이게 진짜구나 혼자 생각이 이렇게 된 것입니다.

예를 들어 지금 시대는 누구든지 과거 이 삼십 년 전에 배운 걸 가지고 살기 때문에 돈이 있고 없고 관계없이 오만 가지 방법으로 어려움이 온다고 합니다. 그리고 내한테 이 어려움이 올 때는 이유 없이 오는 것은 단 한 가지도 없다고 합니다.

또 우리가 지금 시대에 사람이 사람을 돕는다고 하는 이것은 돈이나 물질로는 절대 도울 수 없다는 겁니다. 돈이나 물질로는 절대 지금 사람들을 도울 수 없다는 겁니다. 과거 성장할 때와 다 성장한 지금 사회는 다르다고 합니다. 그리고 사람들이 사기당하는 것도 같은 원리라고 합니다.

욕심을 내지 않으면 절대 사기당할 일이 생기지 않는다고 겁니다. 그래서 사기는 친 사람 보다 사기당한 사람이 잘못이 더 많다는 걸 증명이라도 하듯이 뉴스에 보면 수십억을 사기 쳐도 죗값이 그렇게 크지 않는 이유가 있는 것입니다. 이런 식으로 지금까지 우리가 답으로 알고 있던 이런 모든 지식과 상식들이 전부 다 틀리다는 겁니다. 그런데 이 정법을 자꾸 듣다 보면 이런 게 차츰차츰 이해가 되고 인정이 되는 것입니다.

그래서 아직 이 정법 강의를 만나지 못했거나 혹시 또 만나고도 깊이 있게 바르게 보지 못하고 그냥 스쳐 지나간 사람들 이런 사람들한테 이걸 정확히 전해야겠다는 생각이 들었고 또 먼저 알은 사람의 어떤 책임 의식 같은 그런 게 저한테 생긴 겁니다. 그래서 이 책을 펴내게 되었고 내용은 정법 강의 들은 걸 토대로 해서 저는 이걸 전달하는 역할이니까 그렇게 좀 이해해 주셨으면 합니다.

대자연에는 근본 세팅이 되어 있는 프로그램에 의해 모든 물질들이 자동으로 운행되고 있다고 합니다. 여기에 우리 인간 사람도 이 프로그램에 의해 바르게 사는 운행 원리가 적용되고 있다고 합니다. 그리고 우리가 있는 이 지구 3차원 자체도 이 틀 안에서 운행이 되고 있고 이 3차원은 아시다시피 모두가 물질로 구성되어 있습니다.

그런데 이 3차원에 모든 물질들이 생기기 전에는 과연 어땠을까? 우리 지구를 포함해서 모든 은하계가 생기기 전을 여러분들이 한번 상상해 보십시오. 그냥 고요하고 깜깜한 거죠 그땐 빅뱅이 일어나기 전이니까 한점의 빛도 없고 소리도 없고 물질도 아무것도 없는 암흑 속이 그냥 고요하고 공한한 상태 그대로 있은 겁니다.

그런데 이 공한한 우주가 어떤 때가 되니까 스스로 어떤 환경이 만들어지고 그 환경으로 인해 본래부터 우주에 존재하고 있던 원소 에너지라는 이것이 어떤 계기로 움직이기 시작하면서 엄청난 일이 벌어진 겁니다.

이 일이 오늘날 과학에서 말하고 있는 빅뱅인 것입니다. 이 빅뱅으로 우주 에너지가 부분 열처리 되면서 물질들이 생겨났고 이 물질들이 진화 발전하면서 시간과 공간이 형성되어 지금 우리가 말하는 우주가 된 것입니다. 그런데 우리가 아는 이 우주는 소우주라는 것입니다. 그러니까 대우주는 본래부터 있었고 그 안에 열처리로 물질세계가 하나 따로 형성되면서 그때 우주가 대우주 소우주로 분리되었다고 합니다.

그래서 소우주가 형성되는 마무리 단계에서는 수많은 은

하와 별들이 에너지를 모아 가지고 우리 태양계를 만들고 또 우리 은하에 수많은 별들은 물질 원소를 생산해서 끊임없이 지구로 보내주고 이 모든 천체가 합동으로 지구를 도와 가지고 제일 마지막에 이 지구를 우주의 근본 법칙 3대 7에 맞게 만들었다고 합니다. 그런데 수많은 천체가 있지만 3대 7에 맞게 만든 건 지구 이거 하나밖에 없다고 합니다.

그래서 이 지구상에 모든 생명체를 활성화시킨 환경 바탕 위에 우리 인간이 또 제일 마지막에 출현했다고 합니다. 이때부터 인간 진화가 시작되었고 모든 물질도 같이 진화 발전하면서 오늘날까지 지구촌 인류가 발전 해온 이 기나긴 여정에 대한 공부를 여러분과 함께 나누었으면 하고 또 내용 전달이 정확히 되었어 많은 사람들이 자기 상식을 깨고 바르게 사는 운행의 원리를 깨칠 수 있는 그런 좋은 계기가 되었으면 합니다.

책 제목이 "인간" 완성을 향한 여정의 시작"으로 너무 큰 얘기라 처음 접하는 입장에서는 상상도 잘 안될 것 같고 또 이해 안 가는 부분도 많겠지만 그래도 이 책을 끝까지 보다 보면 또 이쪽 분야에 지식이 쪼끔쪼끔씩 쌓일 것이고 그동안 여러분들이 살아오면서 보고 듣고 한 경험치 이런 것들이 서로 연결되면서 처음 이해 안 되던 것이 나중에는 또 이해가 되는 그런 것들도 있을 거니까 여러분 끝까지 한번 잘 읽어주셨으면 합니다.

원 대자연 이 우주 안에는 아무것도 없는 것처럼 눈에는 안 보이지만 모든 변화를 일으킬 수 있는 암흑 물질로 꽉 차 있다고 합니다.

그리고 대자연 우주에는 본래부터 3 대 7의 근본이 되는 법칙이 있다고 합니다. 이건 모든 생명체 우리 인간에까지 이 세상에 적용 안 되는 것이 한 개도 없다고 합니다.

그리고 또 이 대자연 우주 안에는 또 다른 뭐가 하나 있는데 이건 물질이 아닌 비물질 "원소 에너지"라고 우주를 스스로 운행하는 근본 주체자 개체 에너지라는 게 있다고 합니다.

오늘날 과학에서는 이 두 가지 근본 핵심을 모르니까 또 영적으로 원소 에너지를 볼 수가 없으니까 지금 과학으로는 도저히 더 이상은 풀 수가 없는 겁니다. 그래서 지금 과학은 빅뱅 일어난 것 까지는 알지만 빅뱅이 왜 일어났는지 그 원인은 아직 모르는 겁니다. 일어나게 된 원인.

이걸 다음 장에서 자세히 전해 드리도록 하겠습니다. 그리고 한 가지 추가로 말씀드릴 건 지금 유튜브에 보면 천공 스승님의 정법이 강의로 되어 있는데 사실 이건 강의가 아니고 법문입니다. 자연의 법칙 진리 법문입니다. 지금 정법 강의로 해놓은 건 아직 법문 그러면 아무래도 좀 거부감도 있고 해서 편하게 친근감 있어라고 강의로 해 놓은 것이라니까 그렇게 알아주셨으면 합니다.

그리고 이 책에서는 정법을 알리는 방식이 단편적인 내용보다 전체 큰 윤곽으로 먼저 세상에 알리고 싶은 겁니다. 그래서 많은 사람들이 호기심이 발동되어 이 정법에 좀 더 많은 관심을 가졌으면 하는 거니까 일단 이 책을 접하신 분들은 먼저 한 3개 정도를 추천 하면 유튜브에 정법 3769강, 1778강, 5923강 이렇게 좀 들어보시면서 이 책을 봐 주시면 어떨까 합니다.

그리고 이 정법 법문은 우리 실생활 현장 속에서 내가 까깝하고 마음이 아프고 화가 나면 무조건 내가 잘못했어 지금 이 일이 일어난 것을 자연의 운행 원리로 정확히 알려주고 일깨워 주는 생활 도입니다. 지금 유튜브에 13000강 넘게 하루도 안 빠지고 매일매일 올라옵니다.

여러분 정법 2013을 치고 들어가서 들으시면서 생활의 활력도 찾고 건강도 더 좋아저 보십시오.

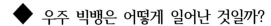

## ◆ 우주 빅뱅은 어떻게 일어난 것일까?

<u>본래 원소인 우리가 우주에 있을 때</u>
<u>상생의 원리로 완벽하지 못했던 것이</u>
<u>억업년 동안 원소 30%가 탁해졌다.</u>
<u>이 원소들이 3:7로 자동 발아 분리되면서</u>
<u>에너지 법칙으로 기운은 끼리끼리 모여</u>
<u>한 꼭지점의 대 폭발한 것이 빅뱅이다.</u>

원 대자연 그러니까 빅뱅전에는 우주 전체가 하나라 할 것
도 없이 공한한 그 자체로 있은 겁니다. 우리 인간도 지구
도 아무것도 없는 무한 공간이었는데 빅뱅이 일어나 열처리
되면서 우주가 그때 둘로 분리되었다고 앞장에서 언급한 바
있습니다. 그런데 우주를 둘로 분리 시킨 이 빅뱅은 어떻게
해서 일어나게 되었는지 여기에 대해 정법 강의 내용을 토
대로 요약 정리해 봅니다.

우리 인간 사람은 본래 에너지라고 합니다. 기운 에너지 그래서 우리 몸은 바깥에 육신이 있고 이 육신 안에는 "원소에너지"라는 게 들어와 있다고 합니다. 이 원소에너지는 우주를 스스로 운행하는 주체자 운행자라 합니다. 앞장에서 개체 에너지를 언급한 것이 바로 원소 에너지 운행자를 얘기한 것입니다. 이 운행자들이 우주 공간 안에서 하나의 세포 역할로 우주를 운행하고 있는 겁니다. 그런데 상생의 원리에 맞게 완벽하고 정확하게 운행했어야 하는데 그렇게 하질 못하고 역행하는 환경들이 스스로 만들어져 스크래치 크랙이 생기면서 원소 에너지들이 탁해졌다고 합니다.

이것을 종교에서는 원죄, 억업죄라 한 것입니다. 이 크랙으로 서로가 상처를 입으면서 수없는 시간 억업년 동안 우주에서 탁해지는 일이 일어났다고 합니다. 이 탁해진 원소 에너지들이 에너지 법칙으로 움직이기 시작한 것이 빅뱅이 일어나게 된 원인이라고 합니다.

그래서 이 빅뱅이 처음 일어날 때 최초 상황을 정법 강의를 토대로 정리해 봅니다. 우주 안에 세포 같은 원소에너지들이 억업년 동안 역행으로 탁해지는 환경의 농도가 점점 짙어지면서 우주 전체의 30프로가 되기 전까지는 그냥 섞여가 같이 있었다고 합니다.

그런데 30프로가 꽉 차는 순간. 우주의 3 대 7의 에너지 법칙이 자동 프로그램으로 문리가 터지면서 작동이 되었다고 합니다. 이것이 우주 전체가 한순간에 자동 발아한 것입니다. 이렇게 되니까 원소에너지 하나를 100으로 볼 때 70프로 맑은 에너지는 가벼우니까 위로 뜨고 30프로 탁한 에너지는 무거우니까 아래로 톡 떨어져 이때 원소에너지들이 둘로 분리되었다고 합니다.

그러니까 우주에서는 70프로 맑은 에너지는 운행이 정지된 상태로 제자리에 있게 되고 톡 떨어져 나온 30프로 탁한 에너지는 지금부터 움직이기 시작하는 겁니다. 에너지 법칙에는 기운은 끼리끼리 놀게 되어 있어 서로가 막 당기는 겁니다. 당기면서 움직이기 시작합니다. 여기서 잠깐 우리가 그때를 한번 상상해 보십시오. 우주 프로그램이 작동되는 그 순간 자동 발아되는 것을 여러분들이 한번 상상해 보십시오. 그 넓고 넓은 광활한 우주에서 어느 순간 우주 전체가 동시에 확 발아되어 가지고 탁한 원소에너지들이 일제히 움직이기 시작하는 이 광경을 여러분들이 한번 상상을 해 보십시오. 이것은 어마어마한 사건이 우주에서 벌어진 겁니다. 이 사건으로 탁해진 원소에너지들이 전부 다 이제 서로가 서로를 당기면서 모이기 시작합니다. 이때 우리 원소 에너지인 내가 제일 앞장서고 그리고 내 바운더리 안에도 에너지가 있는데 이 에너지 30프로를 몰고 내가 같이 움직입니다. 그러니까 위에 아래 옆에 전부 다 와서 일제히 한 곳으로 모이기 시작합니다. 이것들이 모이면서 시간이 지날수록 속도에 속도를 내기 시작하는데 이 속도는 어마어마한 속도로 가속이 붙고 또 배가에 배가되는 속도로 짝 악 모입니다. 시작도 끝도 없는 광활한 우주에서 한 꼭짓점을 향해 탁한 원소에너지들이 짝 악 몰려옵니다. 한꺼번에 짝 악 몰려와서 이제 저들끼리 어마어마한 힘으로 팍 악 부딪 칩니다.

그런데 지금 이 부딪친 건 내가 부딪친 겁니다. 제일 앞에 있는 내가 부딪친 겁니다. 언젠가 정법 강의에 기억나는 것이 우리가 서로 머리를 꽝 부딪히면 눈에 불이 번쩍하지 않습니까 그것이 바로 자연에 이것이라 합니다.

엄청난 섬광의 빅뱅이 일어난 것입니다. 이 빅뱅으로 어마어마한 충격과 폭발의 힘과 열을 발생시킨 겁니다. 그래서 우리 원소에너지들은 이때 한번 아주 미세하게 깨져 전부 다 팅겨 나갔고 또 같이 따라오던 내 바운더리 안에 30 프로 에너지도 그때 전부 다 열처리가 된 것입니다.

그리고 이 빅뱅 열처리로 생긴 거대한 열의 힘은 따라오 던 모든 에너지를 이제 밀어내기 시작합니다. 밀어내기 시작하고 계속 반복되는 폭발의 힘과 열처리로 다시 또 팽창하고 밀어내고 하는 이것을 지금까지도 소우주에서는 끝없

"인간" 완성을 향한 여정의 시작

이 하고 있다고 합니다. 이렇게 해서 빅뱅으로 대우주 30프로가 열처리로 분리되면서 소우주 물질세계가 만들어졌고 우리 은하계와 지구도 여기에 속하는 것이라 합니다. 이 법문이 유튜브에 보면 정법 강의 5162강, 1223강, 4893강 이렇게 있으니까 한번 들어보십시오.

우주 공간 안에서는 아직도 이동해서 터지고 또 모여 이동해서 터지고 이런 식으로 계속 열처리가 되면서 지금까지도 우리가 살고 있는 이 소우주는 계속 팽창하고 있는 중이라 합니다. 표현을 다르게 또 해 보면

무한 우주 안에 물질이 있는 유한 우주 위치가 3 대 7의 법칙으로 70프로에 있다고 합니다. 이 우주가 최초 폭발로 열처리되면서 훅 줄어든 이것이 팽창하면서 밀어내는 압력으로 지금까지도 미세하게 계속 이 소우주 공간을 늘려 나가고 있다고 합니다.

그런데 우주에서 일어난 이 역사가 우리가 시간을 생각해 볼 때 우리 인간 계산으로 수십억 년 하니까 엄청난 긴 시간이 되지만 시공이 없는 자연에서는 이것이 지금 잠깐 동안 일어난 것이라 합니다.

어느 순간 한 꼭짓점으로 모인 원소에너지들이 부딪혀 폭발을 하고 그다음 열처리로 수축했다가 다시 또 팽창하는 이 시간이 우주에서는 잠깐 동안 일어나서 지금도 팽창이

진행 중인데 이 진행 중인 시간 속에서 지금 우리가 죽고 살고 하면서 자연의 천지공사를 하고 있는 것이라 합니다. 인류는 지금 이 천지공사가 2012년 선천시대까지 70프로에 와 있다고 합니다.

그래서 지금까지를 정리 해보면 천지를 창조한 이 빅뱅은 우주에 근본이 되는 3 대 7의 법칙으로 일어난 것이라 하고 무한 우주는 그냥 깨끗하게 있는 그곳을 우리가 천상이라고 말하는 70프로 에너지이고 유한 우주는 지구와 모든 은하계를 합친 물질이 있는 이곳을 지상 30프로 에너지라 합니다.

이렇게 해서 결과적으로 이 천지공사는 우리 원소에너지들이 역행하는 잘못으로 빅뱅을 일으키면서 시작하게 되었고 또 이 천지공사를 완성하는 데는 우리 원소에너지들이 지구에 와서 맑혀야 하는 근본이 있기 때문에 지구촌에 있는 모든 것은 인간 중심으로 돌아가게 해 놓은 게 근원이라고 합니다.

그러니까 지구에 있는 모든 구성물들을 방편으로 해서 탁해진 내 에너지를 맑히고 모자라는 질량을 채우는 것이 우리가 지구에 온 목적이라고 합니다. 이것으로 빅뱅에 대한 내용을 마치고 다음 장에서는 우리 몸에 대한 내용을 전해 보도록 하겠습니다.

## 오직 인간 육신을 위한 지구 환경이다

우리 영혼을 정화시키기 위해 만든 연장이
우리 몸이다. 이 몸에는 육천여섯 개의
기문이 있고 이 기문으로 내가 들어가면서
마음에너지를 생성시켜 놓았다. 그러므로
지구 환경을 빚고 지구를 운행한 것은
오직 우리 몸 육신을 만들기 위함 이었다.

앞장에서 우주가 빅뱅으로 열처리되면서 천지가 창조되었다고 했습니다. 그러니까 지금 과학에서 말하는 우주는 대우주가 아니고 소우주를 두고 하는 말이라 합니다.

이 소우주가 운행되면서 모든 물질과 인간이 같이 진화하면서 오늘날까지 온 것이 인류는 지금 천지공사를 하고 있다고 하고 이 천지공사는 빅뱅으로부터 시작되었다고 합니다. 이 빅뱅으로 은하계는 수많은 별들이 형성되었고 이 별들이 운행되면서 우리 태양계를 만들고 제일 마지막에 지구 행성을 만들어 대기권과 지구 자기장이라는 보호막을 쳐 가지고 우리 인류가 여기서 안전하게 살게 된 것이라 합니다. 또 앞장에서 잠시 언급했듯이 우리 은하의 별들은 수십억 년 동안 물질 원소를 생산해 지구로 보내주고 이 원소들 중에 우리 육신을 조물하는데 필요한 20여 가지 원소도 이때 전부다 같이 만들어 지구로 보내졌다고 합니다. 그리고 원소들 중에 철은 그 특성이 자꾸 안쪽으로 파고드는 성질이 있어 지구 중심부에는 마그마 핵이 만들어졌다고 합니다. 그래서 지구에는 중력이란 게 생겨 뭐든지 끌어당겨 몸집을 키울 수 있었다고 합니다.

또 언젠가는 지구가 30프로 진화되었을 때 바다가 육지 되고 육지가 바다 되는 그런 뒤집히는 일도 있었고 또 우주에 은석들은 지구로 날아들어 원래 은석 안에 존재하고 있던 정지 박테리아. 이것이 빛과 물과 온도가 맞아지니까 지구에 모든 생명체가 살아나고 동식물 바탕을 이루게 되었다고 합니다.

이런 모든 진화 과정 속에서 특별히 또 한 가지가 같이 이루어진 것이 빅뱅 때 엄청난 충격으로 깨져 흩어진 우리 원소에너지들입니다. 이 원소에너지들이 인간 육신을 다 만들어가는 그때를 맞춰 전부 다 자기 주파수를 찾아 다 돌아왔다고 합니다. 이걸 좀 쉽게 이해하려고 하면 우리가 수은을 생각해 보면 됩니다. 수은 한 방울을 바닥에 놓고 탁 치면 아무리 잘게 멀리 퍼져도 이것이 시간 되면 전부다 다시 모이는 겁니다. 우리 원소 에너지도 이거랑 똑같다고 합니다. 아무리 잘게 쪼개져 멀리 떨어져 있어도 세상 어떤 것에도 방해받지 않고 전부다 자기 주파수를 찾아 다 돌아온다고 합니다. 그래서 우리 인간을 유아독존이라고 하는 겁니다. 이렇게 해서 지금까지를 요약해 보면

소우주에서는 우리 은하계 와 태양계를 만들려고 수없는 시간 동안 별들이 활동을 했고 우리 태양계는 지구에 모든 생명체와 동.식물 바탕을 이루어 지구환경 조건을 다 갖추게 한 겁니다.

왜 갖추게 했느냐? 갖춘 목적은 오직 우리 몸을 만들기 위한 것이고 그리고 지구에서 이 몸 육신을 바르게 운용하기 위한 것이라 합니다. 그러면 우리 육신을 어떻게 만들어서 운용하게 되었는지 여기에 대해 정법 강의 내용을 정리해봅니다.

우리 인간 육신 안에는 원소에너지가 들어와 있다고 했습니다. 이 원소에너지가 우주에 있을 때 탁해져서 이 탁함을 맑히는데 필요한 방법이 우리 몸 육신에 들어오는 거라 합

니다. 그런데 우리 몸에 원소에너지가 들어오려면 들어올 수 있는 조건을 만들어야 우리 인간 육신 조물이 완성되는 것이라 합니다.

그래서 그 조건에 대한 강의 내용을 보면 우선 인간 육신은 동물 육신과 다르게 기문이란 게 있어야 한다고 합니다. 원소에너지가 들어올 수 있는 육천여섯 개 기문 이걸 만들어야 인간 육신을 완성하는데 초기에는 이 기문을 만들려고 여러 동물들 늘보나 유인원 이런데 원소에너지를 투입 해서 시험했는데 시험하는 과정에 실패하는 경우도 많이 있었다고 합니다. 그런데 결국 그렇게 시험을 거쳐 육천여섯 개 기문을 만드는데 성공하면서 수없는 시간 동안 이루어 온 결과물로 우리 인간 육신 조물을 완성하게 된 거라 합니다. 그래서 우리 인기를 맑히는데 꼭 필요한 연장으로 그때 이 육신을 우리가 완벽하게 갖추게 되었고 지금 이것을 지구에서 충실히 활용하고 있는 것입니다. 여기서 갑자기 또 인기를 맑힌다 하니까 좀 생소할 것 같아서 잠깐 정리하면 우리 인간은 원래 이름이 원소, 인기, 영혼기 이렇게 3가지로 구분된다고 합니다.

우리가 소우주 천상에 있다가 최초로 인간 육신에 올 때는 원소라는 이름으로 오고 일단 우리 몸 안에 들어와 인생을 살 때는 인기가 되고 또 3차원에 인생 시간을 마감하고

4차원 갈 때는 영혼기라 해서 인간 이름은 우리가 사는 장소와 환경에 따라 바뀌는 것입니다. 그래서 윤회할 때는 인기에서 영혼기로 삼사 차원을 왕래하면서 우리가 영혼의 질량을 키워 왔고 이 원리가 적용된 것이 불교에서의 윤회라는 것입니다.

다음은 지금까지 우리가 한 번도 들어보지 못한 얘기를 해 봅니다. 우리가 세상에 태어날 때 상황을 예를 들어 보면 산모가 병원에서 출산이 가까워지면 소우주 천상에서 출발한 원소가 오고 있는데 이것이 도착하는 시 때가 있다고 합니다. 그런데 이 원소가 지금 방금 도착했다고 가정하면 그러면 태아는 금방 산모 몸 밖으로 그때를 맞춰 금방 나온다고 합니다. 그런데 만약 이 원소가 아직 도착을 안 했다면 그러면 태아는 몸 밖으로 나오지 못하고 몸 안에서 계속 산모는 진통을 겪으면서 도착할 때까지 대기한다고 합니다. 그러다가 원소가 도착하면 그때 태아는 금방 몸 밖으로 나오게 되고 태아가 몸 밖으로 나오자마자 방금 도착한 이 원소에너지는 순식간에 모공 육천여섯 개 기문으로 짝 악 붙어 비집고 들어간다고 합니다.

이때 영아는 소스라치게 울게 되고 영아가 우는 동안 생성되는 에너지가 하나 있는데 이것이 우리가 아직 잘 모르는 "마음에너지"라는 것입니다. 그러니까 차원이 다른 물질 육신과 비물질 원소에너지, 이 두 차원 에너지가 서로 도킹을 한 것입니다. 이 도킹으로 스파크가 일어나면서 생긴 육천여섯 개 입자. 이 입자가 저들끼리 짝 악 당겨 뭉쳐진 이것이 마음에너지가 된 것이라 합니다.

유튜브에 보면 강의가 312강, 333강, 334강 이렇게 있는데 이걸 한번 들어 보십시오. 인간 환생은 이 "마음 에너지"가 생성되어야 성공하게 된 것이고 이것이 생성되지 않으면 아직은 동물이고 인간으로 쳐 주지 못한다고 합니다.

그리고 이 마음 에너지는 항상 우주와 주파수를 물고 있고 기운을 주고받고 있기 때문에 우리가 뭐를 잘못하면 양심이 찔리고 거짓말하면 들키고 하는 겁니다 또 이 마음 에너지가 있어서 지혜도 열수 있고 이념 이상도 가질 수 있다고 합니다. 이것은 우리 인간에게만 있는 특별한 새로운 다른 에너지 역할이 있어서 이런 모든 것이 가능한 것이라 합니다.

다음은 인간이 지구상에 출현할 당시의 상황 조건을 보면 모든 환경과 구성물을 미리 갖춰 놓고 여기에 최종 마지막 주인공 인간을 등장시켜 이때부터 인간 진화가 시작된 걸 알 수 있고 또 지금까지 불교에서 말해 온 윤회라는 것도 인간의 영혼 성장에 목적을 두고 진화 원리가 적용되어 왔다는 걸 알 수 있는 것입니다.

"인간" 완성을 향한 여정의 시작

또 인간과 동물이 완전히 다르게 구별되는 것은 인간은 육신과 영혼과 마음 에너지가 합체되어 3복합체로 구성되어 있지만 동물은 영혼과 마음 에너지는 없고 천지기운으로 만든 육신만 있기 때문에 인간하고 동물은 완전히 다르다는 것입니다.

그러니까 우리가 자연의 법칙을 정확히 알고 이해할 때 우리가 실제적 만물의 영장이 되고 자연의 모든 거를 다스릴 수 있는 사람신 홍익인간이 된다고 합니다. 그래서 어려움이라는 걸 겪지 않고 또 아프지도 않고 남을 덕 되게 행하면서 살 수 있다고 합니다. 그러면 우리는 인생이 즐겁고 기쁘고 행복하게 생로병사가 아니고 생행복사로 덕행의 의무를 다한 만큼 복을 누리면서 끝까지 즐겁게 마감할 수 있다는 것입니다.

다음 장에서는 정법의 근원이 되는 천부경에 대한 내용을 서술하였습니다.

# 인간(3복합체) = 육신 + 마음에너지 + 영혼

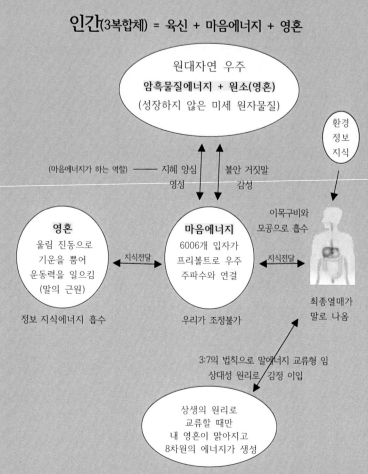

원대자연 우주
**암흑물질에너지 + 원소(영혼)**
(성장하지 않은 미세 원자물질)

환경
정보
지식

(마음에너지가 하는 역할) ——— 지혜 양심   불안 거짓말
영성   감성

이목구비와
모공으로 흡수

**영혼**
울림 진동으로
기운을 뿜어
운동력을 일으킴
(말의 근원)

지식전달

**마음에너지**
6006개 입자가
프리볼트로 우주
주파수와 연결

지식전달

정보 지식에너지 흡수   우리가 조정불가

최종열매가
말로 나옴

3:7의 법칙으로 말에너지 교류형 임
상대성 원리로 감정 이입

상생의 원리로
교류할 때만
내 영혼이 맑아지고
8차원의 에너지가 생성

우리는 먹는 게 본이 아니고 인간이 생산한 지식 에너지를 흡수해서 내 영혼이 성장 발전해야 하는 것이 근본이다. 모든 기관을 통해 물질과 비물질 에너지를 흡수하고 배출하면서 최종 마지막 열매로 생산되는 것이 말이다. 이 말 에너지를 가지고 서로 교류하면서 내 영혼을 맑히기 위해 신도 되고 동물도 되는 중생으로 윤회하며 업그레이드 되는 삶을 살고 있다.

# ◆ 대자연 근본의 경이 천부경이다

우주 대자연에는 지구 탄생 전부터
천부경이 있었다고 한다.
이 천부경의 정법은 하나님을
스스로 있는 대자연의 에너지라고 한다.
이 대자연의 에너지가
3차원 천지를 창조했고 또 우리가
원죄를 소멸할 수 있도록
필요한 연장으로 지구 교화소와 인간
육신을 만들어 준 것이라 한다.

앞서 언급된 정법 내용을 요약 해보면 대자연에서는 인간 육신을 만들기 위해 수십억 년 동안 지구환경을 빚었다고 했습니다. 그리고 또 우주의 원소 에너지를 동물 육신에 투입해서 우리 인간을 출현 시켰다고 했습니다.

이 장에서는 지구상에 인간이 처음 출현한 초기 모습과 하느님 말씀 천부경에 대해 정법 강의 내용을 정리 해 보도록 하겠습니다.

인간이 처음 출현한 곳은 남쪽에 어디 따뜻한 지역 이라고 합니다. 그 당시로는 지명 이름을 모르니까 어쨌든 따뜻한 곳에서 인간이 최초로 출현했다고 합니다. 그땐 동물하고 똑같이 털로 몸을 보호하고 서는 것도 바로 직립식이 아니고 네 발로 걷다 섰다 하면서 자꾸 진화해서 직립이 된 것이라 합니다.

그러니까 태초에는 동물하고 같은 겁니다. 같았는데 시간이 흘러 점점 진화하는 속도가 빨라지면서 도구도 사용하고 표시도 하고 또 의사소통도 하고 의식이 어느 정도 진화되니까 상상도 하고 몸에 털이 빠지면서 몸을 보호하는 거적도 만들고 이런 식으로 또 아직은 이해가 잘 안되겠지만 이 3차원 안에는 시간 소모 질량 이란 게 있어 가지고 그땐 느림보 늘보같이 우리 인간도 뭘 하나 가지고 오려고 하면 천천히 시간을 많이 소모해야 뭘 이룰 수 있는 그런 때도 있었다고 합니다.

그렇게 진화하면서 인간이 출현하는 숫자가 점점 늘어나니까 환경이 숫자가 적을 때는 통솔자 없이도 그냥 살았는데 인간 숫자가 어느 정도 많아지니까 질서를 잡기 위해 통

　　　　　　　"인간" 완성을 향한 여정의 시작

솔자가 필요했던 것입니다.

그래서 그때 단족들이 최초로 지상에 내려왔는데 이것이 12000년 전이라 합니다. 이 단족들이 지금 인류의 지도자 민족으로 단의 혈통을 보존해 온 한 많은 우리 조상들이라 합니다. 저는 어릴 때 궁금했던 것이 왜 우리 조상님들은 한 많은 삶을 살았는지 그걸 사실 몰랐는데 이 정법 강의를 들으면서 우리 조상 그러니까 우리가 인류의 지도자 민족 천손이라는 걸 이해 하게 된 것입니다.

그래서 자손 대가 끊기면 안 되는 조상들의 한이 그렇게 많았던 것입니다. 이 천손들이 단의 혈통으로 오늘날 홍익 인간까지 이어져 내려온 것이 바로 하늘의 천부경하고 연결 되는 것입니다.

이 천부경은 지구가 탄생하기 전 빅뱅 이전부터 우주 대 자연에 있었다고 합니다. 이것을 단족들이 12000년 전에 하늘로부터 직접 우리말로 내려받았다는 것입니다. 또 이 천부경은 우리 민족에게서만 이어져 내려온 경이라 하고 하느님 말씀은 지구상에 이 천부경 하나가 유일하다고 합니다.

수없는 시간 동안 이 천부경이 구전으로 내려오다가 이제 이 천부경을 설명하면 우리가 알아들을 만큼 지식이 충만한 세상이 되었고 또 이 세상에 진리의 법을 펼칠 수 있게끔 유튜브 시대 환경이 마련되니까. 여기에 이제 깨치신 분이 나오셔 가지고 이 천부경을 바르게 풀어 줄 수 있는 때가 되었다고 합니다.

천부경에 정법은 우리가 말하는 하느님을 스스로 있는 대자연의 에너지라고 합니다. 뭐가 따로 있는 게 아니고 대자연의 에너지가 하느님이라 합니다. 이 대자연의 에너지가 3차원 천지를 창조했고 또 우리가 원죄를 소멸할 수 있도록 필요한 연장으로 지구 교화소와 인간 육신을 만들어 준 것이라 합니다. 그래서 지구에 있는 모든 구성물들을 잘 활용해서 탁해진 내 에너지를 맑혀서 본향 천상으로 돌아오라고 한 것입니다.

그러니까 우리가 직업을 갖고, 일을 하고 사람을 만나고 여행을 다니고 또 생각하고 고민하는 이런 모든 활동이 우리는 내 모자라는 질량을 채우고 탁해진 내 영혼을 맑히는 데 그 목적이 있다고 합니다. 돈 많이 벌어 먹고 살고 출세하려다 생을 마감하는 것이 아니고 이런 근본 목적이 천부경에 다 있었는데 우리가 자연의 이치를 깨치지 못하다 보니까 모르고 그냥 산 것입니다.

대자연에는 본래부터 인간이 원죄를 소멸할 수 있도록 운행 법도로 천부경 있었다고 합니다. 그래서 이 천부경은 우리 인류의 모든 종교 사상을 품고 있는 세상의 근본이 되는

"경"이라 합니다.

유튜브에 정법 강의 1771강에서 3강까지 한번 들어 보십시오. 지금 이 정법 강의는 바로 천부경을 공부하는 것입니다.

그래서 천부경 81자를 직접 나열해 보면 3극장으로 천극장, 지극장, 인극장으로 되어 있습니다.

먼저 천극장을 보면

"일 시 무 시 일 석 삼 극 무 진 본

천 일 일 지 일 이 인 일 삼"

이렇게 20자로 하늘이 어떻게 생성되고 이루어졌는지가 되어 있고 다음 지극장을 보면

"일 적 십 거 무 궤 화 삼

천 이 삼 지 이 삼 인 이 삼

대 삼 합 육 생 칠 팔 구 운"

이렇게 26자로 지상은 어떻게 빚어서 어떻게 쓸 수 있게 되어 있고 마지막 인극장을 보면

"삼 사 혹 한 오 칠 일 묘 련

만 왕 만 래 용 변 부 동 본

본 양 심 태 양 이 명 인 중

천 지 일 일 종 무 종 일"

이렇게 35자로 사람이 살아나가는 법칙을 담아 놓은 것입

니다. 그런데 이 천부경 81자는 암호로 되어 있기 때문에 한자 한자 뜻으로 풀어 내야지 글자 해석으로는 푸는 데 한계가 있다고 합니다. 그래서 전체 큰 골격으로만

풀어 보면 지금 3차원 안에 있는 모든 물질은 영원한 것이 아니고 한시적으로 빚어 놓은 것이라 합니다. 그러니까 뭐든지 거기에 너무 집착하거나 얽매이지 말고 모든 구성물과 방편들을 잘 활용해서 내 원죄를 소멸하고 다시 본향 천상으로 돌아오라는 것이 천부경의 핵심입니다.

이렇게 해서 정법과 직접 연결된다는 천부경에 대해 한번 알아 보았습니다. 그리고 마지막으로 정법 강의를 통해 우리 실 생활 속에 직접 필요한 것들을 사례로 한번 들어 봅니다.

지난 2013년도 후천시대부터는 이 정법 강의를 듣고 흡수하면서 내 업을 소멸하는 생활 도를 해야 어렵게 살지 않는다고 합니다. 그러니까 이제는 내 눈에 보이고 귀에 들리는 모든 환경들을 그냥 배척하거나 그냥 지나치지 말고 그 환경들을 유심히 잘 보고 듣고 흡수해서 내 영혼 질량의 밀도를 채워서 나를 맑혀 나가야 내가 사는 게 힘들고 어려워지지 않는다는 것입니다. 그러려면 나한테 지금 일어난 이 일이 왜 일어났는지 우연으로 덮고 가기 보다 정법으로 바른 답을 찾고 또 소통을 바르게 해서 나를 맑혀 나가는 방

법을 알아가는 것이 정법 강의를 듣는 것입니다.

그래서 유튜브에 있는 정법 강의를 3개 정도 추천을 해 보면 정법 562강, 1154강, 8254강 이렇게 들어봤으면 합니다. 그리고 생활하시면서 여러 강의들을 한 6개월 정도 듣고 나서 직접 본인들이 임상실험을 한번 해 보십시오.

그러면 여러분도 생활도에 대해 많은 걸 체험하시게 될 것입니다.

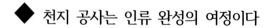

# ◆ 천지 공사는 인류 완성의 여정이다

인류는 선천 시대를 지나 이제 후천시대
2013년부터는 지혜를 열어 다른 사람을
덕되게 행 하면서 원죄를 갚아야 한다.
그렇게 해서 해탈시대를 마치면 우리 인류는
천지공사를 완성하는 것이고 우리는
자타일시성불도가 일어나 천상에 있는
본 나 70% 에너지 있는 거기로 내 에너지
30%가 쫙 빨려 들어가 합체 되면서
"나" 원소에너지 미완성인 내가 이제 100%
나를 완성한다. 그리고 나는 또다시 영원한
자연의 삶을 살아 갈 것이다.

우리는 알게 모르게 천부경을 토대로 인간 진화가 시작되었
다 하고 또 지금까지 우리 생활 속에 이 천부경이 고스란히

"인간" 완성을 향한 여정의 시작

적용되어 왔다고 합니다. 그래서 천부경 인극장에 보면 우리는 신도 되고 동물도 되는 중생으로 중간 삶을 살아가는 것으로 되어 있다고 합니다. 그리고 우리가 인생을 살면서 내 영혼의 질량을 업그레이드 해서 죽으면 이 육신 몸은 땅으로 폐기처분 되지만 나는 또 4차원 영혼계로 가서 거기서 한 쓰리게 있다가 기회 되면 다시 3차원에 와서 질량을 채우고 또 가고 이런 식으로 계속 반복한 것이 우리가 어렴풋이 알고 있는 윤회라는 것입니다.

그러니까 우리 인간은 3차원에서 활동하는 시간을 마감하는 것이지 죽어 소멸되는 존자가 아닌 영혼불멸이라는 것입니다. 대자연에는 본래부터 영혼이 되는 원소라는 게 존재한다고 했습니다. 또 본래부터 미리 세팅해 놓은 법칙이 있다고 했고 이 법칙대로 운용이 되고 있다고 했습니다. 그래서 우리 이 지구촌은 영혼들을 성장시키기 위한 신들의 교화소 학교라고 합니다.

우리는 이 학교에서 삼사 차원을 왕래하며 오늘날까지 진화 발전해 온 것이고 수많은 시간 동안 인간 활동을 하면서 지구촌 인류에 모든 문화와 지식과 과학을 배양하고 이것을 생산해 온 것이라 합니다. 그래서 이것들을 잘 활용해서 옳고 그른 걸 분별하고 또 사람을 바르게 대하는 공부로 상생하면서 내 에너지를 맑히고 질량을 채우는데 모든 역량을 다 해야 하는 것이 우리 인간의 근본이라 합니다. 우리가 어릴 때 들었던 "공부는 죽을 때까지 한다"라는 소리가 무슨 소리인지 사실 이 공부를 하면서 이제 이해를 하게 되었고 또 지금까지 하고 있는 제도권 학교 공부는 앞으로 미래 우리가 자연과 사람공부를 하기 위한 그동안의 기초 공부였다는 것도 이제 알게 된 것입니다.

그래서 선천 시대 2012년 까지는 일반 지식으로 내 영혼의 질량을 키우고 성장해 온 시대라 하고 후천시대 2013년 부터는 자연의 법칙 진리 지식으로 지혜를 열어 남을 덕되게 하면서 내 원죄를 갚고 해탈해서 다시 본향으로 돌아가기 위한 운용 시대라고 합니다.

이제는 인간이 왜 사는지? 또 무엇을 하기 위해 살아가야 하는지? 이런 근본을 알아야 할 때가 벌써 2013년으로 10년이 지났다고 합니다. 2차대전 일어나기 전까지 지난 과거를 보면 국제사회에서는 수천 년 동안 서로 교역을 하면서 모든 기술과 지식과 과학을 일으킨 반면에 우리 조선반도는 1000번이 넘는 전쟁에도 씨족이 멸하지 않고 끝까지 살아 남았습니다.

그리고 혈통이 썩이지 않게 하기 위해 조상 대대로 족보 도표를 그리고 쇄국정책을 써가면서 수천 년 동안 단의 혈통을 지키고 이 혈통을 보존해 온 겁니다. 그리고 조선 왕

조 500년 태평성대를 누리면서 정신줄을 놓은 우리 천손들을 일깨우기 위해 마지막 담금질한 것이 일제강점기를 겪게 했습니다. 그리고 또 조선반도에 세계 이념 전쟁을 일으켜 남북이 갈라지는 공산 민주 뿌리를 여기에 심어 놓고 이제 선천 시대 마지막 천손 너희들이 이 숙제를 풀어라고 한 것입니다. 그러면서 인류를 전지 작업한 것이 세계 인구 30억에 우리 조선반도 3천만 동포로 일당 100을 맞춰 논 그때가 인류가 30프로 이루어졌을 때라 합니다.

그리고 조선에서 대한민국으로 국호를 세워 가지고 이때부터 70프로 완성을 향해 인류와 함께 급 팽창 시대를 맞이 했다는 것입니다. 이 팽창 시대를 맞이하기 위해 하늘 공사가 시작된 것이 국제 문물을 받아들일 수밖에 없게끔 한반도를 완전 폐허 상태로 만들어 놔 놓고 여기에 홍익 씨앗 베이비부머 700만 명을 낳은 겁니다.

그리고 국제사회가 수천 년 동안 희생해 가면서 일궈 논 모든 문화와 지식과 사상을 원조라는 이름으로 다 받아들이게 하고 이것을 홍익 인자 베이비부머가 자라면서 몽땅 흡수하게 해서 세계 최고의 DNA로 성장을 시킨 겁니다.

그래서 우리 조선반도 5천 년 역사를 단 몇십 년 만에 베이비부머가 이 역사를 다 일으킨 것입니다. 이것은 정법 깨치신 그분이 홍익인간 700만 명이 한반도에 태어나 전부

다 50대 지천명으로 다 성장한 이것을 영적으로 다 보았다고 합니다.

그리고 또 2012년 까지는 선천 시대로 인류가 70프로까지 성장을 다 끝냈다고 합니다. 그래서 지금 시대 세계 인구 78억에 대한민국 7800만 해서 일당 100으로 맞춰 논 이것은 대자연의 섭리라고 합니다. 자연에서 볼 때 우리 인간은 뭐든지 70프로가 완성이라 하고 나머지 30프로는 우리가 하기에 따라 자연의 몫으로 해 주게끔 되어 있다고 합니다.

또 2012년까지는 땅신들이 이끌어주는 도술 시대라 하고 모든 것을 방편으로 해서 지식과 모순을 생산하고 질량을 70프로까지 갖추는 시대였다고 합니다. 그리고 또 2012년을 지구 종말이라 한 것도 성장이 다 끝나고 더 이상 진화 발전이 없다는 것이고 인간의 개념을 바꾸어 이제는 사람으로 살아갈 수 있는 지구환경 갖추는 걸 다 끝냈다는 것입니다. 유튜브에 정법 강의 8강을 한번 들어 보시고 11623강에서 5강까지도 한번 들어 보십시오.

이제 후천시대는 다 성장한 인류를 우리 국민이 지혜를 열어 정법으로 운용한다고 합니다. 그래서 1952년에서 1963년생까지 이 12년이 홍익인간 1대로 대한민국에 이분들이 주축이 되어 앞으로 미래 인류가 사용할 정법을 만들

"인간" 완성을 향한 여정의 시작

어 놓고 간다고 합니다. 이렇게 해서 지금까지 전체를 한번 정리해 보면

본래 원소 에너지인 우리는 대자연의 주인으로 우주를 운행하고 있었는데 언젠가부터 뭐가 잘못되면서 우리가 우주를 운행하지 못할 정도로 질량이 모자라고 탁해져서 이걸 맑히려고 우리가 이 지구에 지금 와 있다고 합니다. 그러니까 나를 질량을 채우고 맑히러 왔는데 맑히는 과정에 필요한 것들이 지구에 있는 모든 구성물이고 동물도 여기에 속하는 것이라 합니다.

그래서 이 구성물들을 잘 활용해서 나를 맑히는 진화 활동을 하고 70프로 질량이 다 차면 그 다음 코스로 지혜를 열어 가지고 사람 신 그러니까 홍익인간으로 완성되어야 한다고 합니다

그런데 진화하는 활동 기간이 시간이 너무 오래 수만 년이 걸리다가 공교롭게 오늘 지금 이 시대에 와서 갑자기 어떻게 깨치신 분이 나오셔 가지고 어릴 때 국민교육헌장을 암기한 베이비부머가 본래 홍익인간으로 태어난 마지막 주자들이라 하고 이 사람들이 정법으로 지혜를 열어 가지고 앞으로 미래 인류가 평화시대를 열어 갈 수 있도록 초석을 놓아야 한다고 10여 년 전부터 이 분이 법문을 설하고 계시는데 아직 우리 국민들 대다수는 모르고 있는 것입니다.

자연에서는 벌써 2013년부터 사에서 공으로 운용 법도가 넘어갔는데 우리는 아직 사에 머무르고 안 바뀌고 있으니까 또 사적인 마인드로 욕심 내면서 낮은 질량으로 살고 있으니까 결국 7년 만에 코로나가 와서 후천시대 새로운 판을 다시 짤려고 알곡 쭉 대기를 고르는 정리 작업을 한 것이라 합니다.

앞으로 다가올 정법 시대는 사로 성장해서 공으로 운용되는 홍익인간 도인들이 인류 공영 시대를 열어 간다고 합니다. 힘의 논리가 아닌 덕치로 지혜를 열어 인류를 바르게 운용한다고 합니다. 모든 것이 에너지 질량 3 대 7의 법칙으로 운용되고 저축하면서 사는 게 아니고 쓰면서 창출하는 시대가 온다고 합니다.

그리고 앞으로는 기복 신앙이 아니고 정법으로 바르게 사는 사람이 먼저라고 합니다. 땅 신들은 앞이 아니고 뒤에서 힘이 되어주는 하늘의 법도가 사람이 앞서는 걸로 바뀌었다고 합니다.

그래서 지금 시대 우리 모두는 정법 진리로 자기 상식을 깨고 지금 본인들이 하고 있는 것을 자연에 맞게 바르게 잡아 나가야 내가 사는 게 어렵고 힘들어지지 않는다고 합니다. 그리고 또 앞으로 미래는 한 세대가 끝날 때마다 상층 30프로는 윤회가 없는 휴거가 일어나고 또 지금의 물질과

학은 삼 사백 년 후가 되면 물질과 비물질 영을 통합해서 운용하는 인간 로봇 합성 시대가 온다고 합니다.

이 합성 시대가 오면 궂은일이나 노동은 전부 인간 로봇이 다 하고 우리는 지적인 일을 하면서 해탈을 준비하고 다음 휴거를 맞이하는 해탈 휴거 시대를 산다고 합니다. 그렇게 해서 휴거 시대가 끝나면 제일 마지막 지구 종말 최종 마무리는 인간로봇 이들이 남아서 하고 우리는 그전에 전부 다 중천계로 올라간다고 합니다. 그렇게 다 올라가면 우리 인류는 중천에서 모두가 일시에 본향으로 출발하는 원시 반본 "자타일시성불도"가 그때 일어난다고 합니다.

이렇게 해서 인류 완성의 여정 천지공사를 끝내고 천상 본 나 70프로 에너지 있는 거기로 내 에너지 30프로가 쫙 악 빨려 들어가 "나" 원소 에너지 미완성이 이제 완성으로 100퍼센트 합체된다고 합니다.

그리고 우리가 없는 지상 소우주는 거대한 블랙홀이 와서 모든 천체들을 다 빨아들여 소멸시키고 블랙홀 자신도 자체 파괴 되면서 대자연의 천지공사는 이렇게 마무리 완성된다고 합니다. 그리고 그동안 100억 년이 넘도록 운행이 정지 상태로 있던 대우주가 이제 다시 원 대자연으로 정상 운행이 되고 "나" 원소 에너지도 티 없이 맑은 천상에서 또다시 영원한 자연의 삶을 살아간다고 합니다.

이렇게 해서 "인간 완성"의 여정에 대한 상상의 나래를 마음껏 한번 펼쳐 보았습니다.

　끝으로 한 가지 제안을 추가해 보겠습니다. 우리 개인들이 지금 당장 시도해 볼 것을 한번 짚어 보면 일단 시간 나는 대로 이 정법 강의를 좀 듣는 겁니다. 들으시면서 자연의 이치도 좀 일깨우시고 그러다 보면 내 건강도 더 좋아지고 나를 다듬는 내 질량을 먼저 좀 갖추는 게 우선이라 생각합니다.

　그래서 오늘날 혼탁한 시대를 맞이 한 우리 국민들이 정부나 기업에서 언젠가 새로운 신패러다임 사회교육을 일으킬 때 또 머지않아 "인류 기아제로 프로젝트"를 가동할 때 그때 우리 국민 모두가 여기에 동참하는 것입니다. 아직은 이르다는 생각에 갑자기 무슨 얘긴가 싶지만 여러분 힘내시고 여기에 한번 희망을 걸어 봅시다.

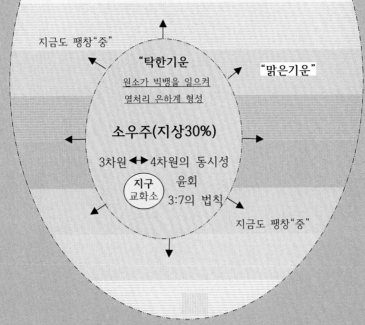

### 3:7의 함수원리 존재

(원 대자연=암흑물질+원소)

## 대우주(천상70%)

원소 30%가 원죄를 지어 소우주로 쫓겨나는 바람에
대우주는 지금 운행 정지 상태로 있음.

지금도 팽창"중"

**"탁한기운**

원소가 빅뱅을 일으켜
열처리 은하계 형성

**"맑은기운"**

## 소우주(지상30%)

3차원 ↔ 4차원의 동시성

지구
교화소

윤회
3:7의 법칙

지금도 팽창"중"

\* 임신을 하면 소우주 7차원에 있는 원소가 점지 됨.

제3장

에너지 질량 이동의 법칙

# ◆ 말의 질량이 운용되는 시대

지금은 말이 법이 되는 말법시대이다.
질량 있는 말을 잘하게 되면 빛이 나고
말을 잘못하게 되면
내가 망해야 하는 꼴을 맞이하게 된다.
그러니까 공적인 마인드와
사회성을 갖추어 내가 말을 질량 있게
할 수 있는 것만이 정답이다.

오늘날은 지식 성장이 완성되어 이제 말의 질량을 얘기 해도 될 만큼 사회가 질이 높아졌다고 합니다. 지금은 말을 질량 있게 하지 못하면 그 화기가 돌아와 나를 멍들게 만드는 말의 질량이 운용되는 시대라고 합니다. 태초에는 인간한테 말이란 게 없었고 질량이 너무 낮아 의사 표시를 해도 소리로 우~우~였다고 합니다. 그렇게 진화하면서 인간 동물

"인간" 완성을 향한 여정의 시작

육신에 6006개 기문으로 영혼이 들어가면서 말을 하는 인간이 출현되었다고 합니다. 그러니까 인간은 동물 육신에 영혼이 융합되어 동물도 신도 아닌 중간 삶으로 살게 된 것이라 합니다.

이 인간이 수만 년 동안 윤회하면서 영혼의 질량을 업그레이드해서 오늘날의 지식과 말을 완성시켰습니다. 이 지식과 말은 우리 영혼의 질량을 키울 수 있는 유일한 양식으로 인간만이 생산할 수 있었던 겁니다.

본래부터 인간은 의식이 일어나면서 최초에는 물질에 이름을 붙이기 시작해서 영혼의 질량이 점차 높아지면서 문자가 만들어지고 개인 논리가 나오게 되었고 이 논리가 발전하면서 오늘날의 지식을 만들어 상식까지 빚게 된 것입니다.

하지만 개인 논리로 비롯된 이 지식과 상식은 더 이상 발전을 하지 못하고 서로가 부딪히는 오늘의 현실을 맞이하게 된 것입니다. 인간의 경험과 생각으로 발전해 온 이 지식과 상식은 오늘날 더 이상 인간이 하는 말의 질량을 높일 수 없고 여기까지가 끝이라고 합니다.

지식의 질량이 꽉 찬 오늘날 사회에서는 자연의 법칙 진리만이 우리가 교류하는 말의 질량을 높일 수 있고 그 방법이 유일한 방법이라고 합니다. 말은 어떤 생각을 하느냐에 따라 그 말이 나온다고 합니다. 말을 하게 하는 것은 우리 뇌에서 하는 것이 아니라고 합니다. 뇌는 일을 할 수 있는 하나의 연장이고 도구일 뿐이고 말이 원초적으로 나오는 것은 내 영혼에서 울림 진동이 일어나 기운이 뿜어져 나오는 것이라고 합니다. 모든 환경을 눈으로 접하고 귀로 들은 것이 한순간에 내 영혼으로 들어오는 것입니다.

그러면 내 영혼에서 정리를 해서 말로 나오기 까지는 나의 혈을 타고 뇌를 거쳐 입으로 나오는 것이 순식간에 이루어지는 것입니다. 모든 사물과 말을 인지하는 것은 육신이 하는 것이 아니라고 합니다.

육신은 이 환경들을 걷어 들이는 중간 역할을 하는 기관으로 여기를 통해 내 영혼으로 들어오는 것입니다. 이 영혼이 움직여서 뇌가 작업을 하고 생각을 할 수 있는 환경을 만들어 쓰는 것이 입으로 하는 말인 것입니다.

그러면 생각이 말로 나오는 생각의 질량에 대해 얘기해 봅니다. 우리는 다양한 높은 생각을 할 수 있어야 어떤 일이나 어려운 상황이 닥쳐도 대처할 수 있는 폭이 넓어질 수 있는 겁니다.

그런데 생활 속에서 상대성으로 다양한 생각을 하기 위해서는 생각의 질량을 높여 놓아야 그렇게 할 수 있는 것인데 지금 시대에서는 일반 지식이나 상식선에서 책이나 영화 보는 걸로는 질이 너무 약해 생각의 질량을 높일 수 없다고 합니다. 정법은 신패러다임 자연의 법칙 진리 지식입니다. 이 지식을 흡수하게 되면 기존의 상식과 AI 처리가 되어 내 생각의 질량이 한 단계 업그레이드 되면서 새로운 답이 나온다고 합니다.

지식의 질량이 충만한 지금은 지혜의 답을 써먹어야 자신의 현실 문제를 근본적으로 풀어나갈 수 있다는 것입니다. 한마디로 후천시대는 말의 질량이 운용되는 시대이고 내 질량만 높여 놓으면 소통도 건강도 경제까지도 모든 것이 편하고 우호적인 환경으로 돌아간다는 것입니다.

그러니까 질량있는 사회에서는 반드시 갖추어야 할 덕목이 공적인 마인드와 사회성을 갖추는 것입니다. 부모님이 경제적 부를 이루었어도 내 질량과 공적인 사회성 수준이 같이 올라가지 못하게 되면 결국 살다가 중간에 내려앉게 되고 노후까지 절대 잘 살아지지 않는다는 것입니다.

하지만 부모님이 자연에 바른 법을 찾아 하나하나 깨치면서 사회성을 키우고 사람을 바르게 대하고 살면 경제적 부는 물론이고 항상 주파수를 물고 있는 자식들까지 혹시라도 욕심을 내면서 삐딱선을 타다가도 금방 돌아오게 하는 원리가 있다는 것입니다.

자연에서는 항상 부모 자식 간에 정신을 일깨워 주고 제어하는 역할이 있어 자연의 바른 공부는 누구에게나 중요한 것입니다. 이제는 말이 법이 되는 말법 시대입니다. 자연의 운행 원리를 바르게 알고 내 질량을 높이고 키워 말을 질량 있게 할 수 있는 것만이 최선의 방도라는 걸 온 국민들에게 알려야 할 때가 온 것이라고 합니다.

# ◆ 3 대 7은 세상 근본의 법칙이다

<u>대자연에는 근본이 되는 3 대 7의</u>
<u>법칙이 존재한다. 세상 어떤 기운도</u>
<u>30%의 마장과 70%의 이로운 기운으로</u>
<u>양면성을 띠게 된다.</u>
<u>이것은 대자연의 불변의 법칙이고</u>
<u>생활 속 모든 곳에 3:7이 존재한다.</u>

공한한 우주에는 원래부터 근본이 되는 3 대 7의 법칙이 존재하고 있은 겁니다. 천지가 창조된 것도 3 대 7의 법칙으로 기운에너지가 발아된 것입니다. 3 대 7의 법칙에 3은 초자연 하늘 천신을 뜻하고 7중에 4는 내 노력을 말하고 나머지 3은 사회환경과 지상신 그리고 다른 사람이 해주는 것을 말합니다.

  인기인 원소가 지구에 와서 영혼을 맑히는 삶 속에 3 대

7의 근본 법칙은 적용 안 되는 것이 아무것도 없습니다. 음식을 먹어도 내 몸에 좋은 음식을 70%를 먹고 내 몸에 안 좋은 음식도 30%를 먹어줘야 체질 개선에도 좋고 건강에도 도움이 됩니다.

사람을 칭찬하고 지적할 때도 윗 사람이 아랫사람을 지적할 때는 먼저 70%를 칭찬해 주고 그다음에 지적을 30%만 해야지 아랫사람이 잘 받아들여 융합이 잘 되는 것입니다. 다수결의 원칙에도 3 대 7의 법칙이 적용됩니다. 70%가 찬성이면 30%의 반대가 있어도 그대로 하면 잘 이루어집니다.

돈을 쓸 때도 자신의 수익 중에 30% 선에서 뜻있게 잘 써야 합니다. 돈 에너지를 잘 쓰게 되면 기존 70%의 압을 품고 있기 때문에 30%를 써도 요요 현상으로 다시 채워지는 겁니다. 그러나 자신의 수익 중에 70%를 쓴다면 30%의 질량으로는 다시 채우려면 엄청나게 힘들고 잘 채워지지 않습니다.

상대를 도와줄 때도 내가 가지고 있는 질량의 30% 선에서 도와야 합니다. 그 이상 도우면 손실과 어려움이 오게 되므로 그 이상 요구 시에는 정중히 거절해야 합니다. 상대방의 말을 듣고 어떤 상처를 입었다면 화가 나고 답답한 쪽이 무조건 70% 잘못이 있습니다. 말을 한 상대방은 30%의 잘못이 있는 것입니다. 화가 나고 답답한 쪽이 환자임을 알고 내가 무슨 잘못이 쌓여있는지 나를 반성하고 되짚어 봐야 합니다.

인연을 만날 때도 나보다 30% 나은 사람을 만나거나 30% 부족한 사람을 만나야 합니다. 30% 나은 사람은 나를 감싸 안아 주게 되고 30% 부족한 사람은 내가 그 사람을 도와주게 되어 서로가 도움이 될 수 있는 것입니다. 그러나 50% 나은 사람을 만나면 20%만큼 내가 무시당하게 되고 70% 나은 사람을 만나면 큰 상처를 입고 결국은 헤어지게 됩니다.

연애를 아무리 오래 하더라도 결혼 전에는 상대가 모순을 30% 밖에 꺼내 놓지 않기 때문에 30%만 볼 수 있으며 결혼 후에는 온갖 모순이 다 나오게 됩니다. 어떤 사업을 확장하거나 투자할 때도 자신이 가지고 있는 경제력의 30% 선에서 투자하거나 확장해야지 그 이상 투자는 위험하고 실패할 확률이 높습니다. 어떤 변화를 시도해도 30% 선을 넘지 말아야 합니다.

공부는 학교에서 책으로 하는 것은 30% 선이고 사회 현장에 부딪히면서 공부하는 것이 70% 됩니다. 지도자는 어떤 분야이든 30% 선을 넘지 않는 선에서 골고루 배우고 알아야 합니다. 지도자가 한 분야에 70% 이상 공부를 하게 되면 쟁이가 되어 지도자의 역할을 수행할 수 없게 됩니다. 잃어버린 돈이나 물건을 누군가가 찾아줬을 때는 돈이나 물건값의 30% 선에서 사례해 줘야 합니다.

아깝다고 안 주면 그 30%만큼 다시 나가게 되지만 보상을 제대로 한다면 30% 선 만큼 요요 현상이 일어나 금방 다시 채워집니다. 사람을 좋아할 때도 너무 좋다고 100% 좋아하면 나태해져 잘못되어 집니다.

항상 70% 선을 유지하며 노력해야 합니다. 사람을 만날 때 70% 좋으면 부족한 30%를 위해 노력 하지만 100% 좋으면 노력를 하지 않아 문제가 됩니다. 반대로 상대가 30% 미달되는 경우는 내가 40%를 노력하면서 포용하면 일이 잘 풀리게 되는 겁니다.

우리가 사용하는 이 지구도 30%는 육지이고 70%는 바다입니다. 대한민국도 마찬가지로 3 대 7로 꾸며져 있습니다. 길이가 삼천리에 둘레가 칠천 리로 되어 있고 들이 30%, 산이 70%이고 이 땅덩어리도 대륙에 30% 붙여 놓고 태평양 물에 70%를 담가 두었습니다.

인간이 사주로 받아오는 것은 30% 받아 오는 것이고 주위 환경에서 주는 것이 30%가 있고 내가 노력해야 하는 것이 40%가 있습니다. 우리는 상생의 법칙으로 하늘에서 나에게 장점을 30% 주고 나머지는 타인들에게 내 장점 70%

를 주어서 내한테 필요한 것들을 타인들이 채워주게 해서 서로 상생하게끔 짜여 있고 인연도 그렇게 주는 것입니다. 대자연에는 마장이 안 되는 것이 없습니다. 3 대 7의 법칙으로 30% 마장이 있고, 70% 이로운 기운이 있는 것입니다. 마장을 끌어안고 나 자신을 개발하고 발전해 나가는 것이 바로 우리 공부이고 수행인 것입니다.

세상 근본의 법칙 3 대 7은 없는 곳이 없습니다. 어떠한 기운도 3 대 7로 양면성이 있습니다. 이것은 대자연의 불변의 법칙이며 생활 속 모든 곳에 3 대 7이 존재하는 것입니다.

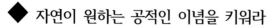# ◆ 자연이 원하는 공적인 이념을 키워라

<u>자연을 바르게 알고 도리에 맞게 살면
어려움을 안 겪고 살아간다. 정법은
자연과 함께 홍익이념을 바탕으로 한
"공적인 마인드"를 키워 모든 걸
총체적으로 바르게 할 수 있는 법이다.</u>

사람이 존중되고 사람이 먼저인 시대가 되었습니다. 기복 신앙이나 도술에 의지하며 사는 게 아니고 정법으로 자연을 바르게 알고 자연의 운행에 맞추어 사람이 바르게 사는 인 본 시대가 도래한 것입니다.

　새해를 맞은 올해는 아파트 이사에다 큰 아들 결혼까지 희망 가득한 한 해를 시작합니다. 오는 6월 이면 새 아파트 로 더 나은 발전을 위해 이동수가 일어납니다. 이제는 집을 이사하는 것도 자연을 바르게 알고 바르게 다스려 모르고 잘못되는 일이 없도록 하는 정법 시대가 되었습니다. 오늘이 있기까지 우리 가족을 보살펴 주고 지켜 준 아파트 터주 대신께 그동안 감사의 뜻을 표하고 그리고 가족 모두가 한마음으로 뜻을 모아 우리 터주 대신을 잘 이끌어 달라고 하늘에 축원 한마디 올릴 줄 아는 이것은 기복 신앙이 아니고 자연을 바르게 알고 자연을 바르게 대하는 것입니다.

그리고 또 오는 6월이면 이제 더 큰 질량으로 우리를 맞이해 줄 새 아파트 터주 대신께도 앞으로 잘 부탁드린다고 말로 한마디 할 줄 아는 이것이 우리가 도리에 맞게 자연을 바르게 대하는 것입니다.

지식으로 성장을 다한 우리가 이제는 자연을 따로 하고 막살아 버리는 게 아니고 자연을 알고 자연과 더불어 함께 도리를 지켜가면서 살면 내가 어려움을 안 겪고 살아갈 수 있다는 것입니다.

과거에 우리는 모르고 잘못 살아서 힘들고 어려워지면 도술을 찾아가 그 어려움을 풀려고 노력도 했지만 이제는 그럴 필요가 없어진 겁니다. 이런 걸 알도록 자연의 운행 법을 내 준지가 벌써 10년이 지난 지금은 바르게 하지 않을 때 엄습해 오는 그 기운의 농도가 점점 더 세지고 있다는 것입니다. 우리가 살아오면서 자신도 모르게 겪고 당하는 일들이 무수히 많았습니다. 하지만 이제는 세상 모든 것이 진행형으로 쌓아와서 지금 이루어진다는 사실을 알게 된 것입니다. 그리고 살아오는 생활 방식이 지금의 나를 만들었다는 것입니다.

우리는 갑자기 어떤 일을 겪고 나서 왜 겪었는지는 모릅니다. 그러니까 겪고 나서도 또 똑같은 방식의 생각으로 행동하고 삽니다. 자연의 운행을 모르니까 다음에 또 다른 일로 겪고 당하고 하는 겁니다. 사는 방식이 문제라면 사는 방식을 바꾸어야 하는데 그 방법을 모르고 살은 겁니다.

지금까지는 이런 것에 대한 근본 교육이 없었어 그렇게 당할 수밖에 없었지만 앞으로 미래는 이런 것들에 대한 사회 교육이 급속히 확산될 것이고 희망과 생기 넘치는 새 시대가 머지않아 곧 온다고 합니다.

이미 정법 강의에서 수차례 언급되어 온 2025년 가을에는 대한민국이 그토록 염원하던 통일이 시작된다고 합니다. 불안정한 과도기 지금은 법문을 들으며 자신의 질량을 갖추면서 지내는 것이 최선의 생활방책이라 합니다. 질량 갖춤은 정법으로 공의 마인드를 키우는 일입니다.

우리가 인생을 좌우하는 것은 욕심과 고집, 그리고 겸손이라고 합니다. 최근 우리 국민을 겸손으로 공부시키며 최정상까지 올라간 손흥민 축구 선수입니다. 내가 겸손하면 내 공부는 스스로 되는 것입니다. 고집은 내 생각이 너무

"인간" 완성을 향한 여정의 시작

강해서 다른 것을 많이 배척하는 것입니다. 그래서 내 정서가 메말라지고 고착이 심해져 부드럽지 못하고 딱딱하게 뭉친 이것이 고집으로 시간 지나면 종양이 암이 된다고 합니다. 정답이 아닌데 정답으로 알고 이 상식에 갇혀 벗어나지 못하는 이 고집이 바로 암이 되는 지름길이라는 걸 아직 우리 국민 대다수는 모르고 있는 것입니다.

그리고 욕심으로 가진 돈과 재물이 나가게 되는 것도 물질을 가지기만 하는데 집중하고 가지는 동안 내 질량을 안 키운 것이 서로 상충을 일으켜 나와 격리되는 자연의 현상입니다.

돈이나 재물을 자기 질량만큼 다 가지고 나면 운용을 해야 할 때가 오는데 이때 질량이 낮아 실력이 부족하면 자연의 시험에 걸리게 되어 있어 재물과 돈이 내하고 격리되는 일이 벌어지는 것입니다. 그런데 재물과 돈을 많이 가지는 것은 욕심으로 보지 않고 자연에서는 일을 많이 할 수 있는 연장으로 인식하기 때문에 노력하고 원하면 자기 질량만큼은 다 주게 되어 있다는 것입니다.

하지만 그 질량을 받아서 일정 시간이 지났는데도 실력이 없어 바르게 운용을 하지 못하고 바르게 쓰지도 못해 정체하고 있으면 그때 다 걷게 되는 이것이 자연의 운행 법칙이라는 것입니다.

사람의 진짜 욕심은 다른 사람을 내말 듣게 하려는 내 생각 기준으로 상대를 끌어다 맞추려 하는 이것이 자연에서 볼 때는 최고로 큰 욕심이 되는 것입니다.

우리는 인생 자체가 모두 공부 속에 살고 있는 겁니다. 어떤 경우든 나를 짚어보는 공부를 하고 나를 고치는 수행을 하는 것입니다. 내 질량을 키우고 기운을 맑히는 것을 한꺼번에 해결하는 방법은 "공적인 마인드"로 사람을 널리 이롭게 하는 홍익이념을 키우는 일입니다.

자연이 원하는 이 이념은 대단한 걸 말하는 게 아닙니다. 식상하지만 컵의 원리를 다시 한번 생각해 봅니다. 똑같이 컵 공장 다니는 두 사람이 있는데 한 사람은 돈을 벌어먹고 살려고 다니고 다른 한 사람은 이 컵을 쓸 사람을 위해 내가 열심히 일한다고 생각하는 이 생각은 다른 겁니다.

이 생각의 질량이 자연에서는 엄청나게 위대한 것으로 생활 속에 모든 방향을 틀어 주어 10년 후 누구는 그 구성원의 팀장이 되어 인정받고 누구는 명퇴자가 되어 사회 버림을 받는 것입니다.

앞으로 미래 사회는 나의 인성 실력만을 최고로 쳐주는 그런 환경으로 바뀐다고 합니다. 지식을 다 갖춘 질량 있는 지금 사회가 벌써 실제적으로 본인들이 갖춘 실력만큼만 정확히 작동되고 0.1mm도 질량 이동에 에누리가 없다고 합니다. 우리 조상신도 대신도 아무도 간섭을 못하고 내 혼자 힘으로만 해야 하는 아주 냉철한 시대가 온다고 합니다.

기운학상으로 지식인들은 나를 공부 안 하면 전부가 까깝해져 우울증으로 스스로가 자신의 생을 마감하는 무서운 일들이 일어난다고 합니다.

무식한 사람은 절대 죽지 않습니다. 지식인의 지식 에너지가 이만큼 강하고 센 것입니다. 이것이 오늘날의 지식인들이 홍익인간으로 출현하여 급변하는 이 사회를 하루빨리 바꾸어야 하는 절실한 이유인 것입니다.

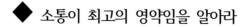

## ◆ 소통이 최고의 영약임을 알아라

질량 시대에서는 상대와 말을 잘해서
기운이 막히지 않도록 해야 한다.
말이 침이다. 소통이 막히면 내 영혼이
힘을 못써 몸이 아파진다. 그러므로
모든 병의 치유는 소통으로부터 시작된다.

우리는 기혈이 막히면 몸이 불편해지고 힘들어서 과거에는
침을 많이 맞았습니다. 요즘은 몸이 불편하면 질량이 꽉 차
있어 가지고 침보다 내 영혼에 질량을 먼저 돌봐야 합니다.
몸이 아프면 몸과 나 자신 중에 나 자신을 먼저 다스려야
내 영혼이 힘을 발휘하도록 도와주게 됩니다.

그걸 못해 내 영혼이 힘을 못쓰니까 몸이 어려워진 것입
니다. 나 자신의 막힌 기운을 뚫어야 하는데 이걸 뚫으려면
상대와 말을 잘 하면서 기운을 뚫는 것입니다. 말이 침이라

"인간" 완성을 향한 여정의 시작

합니다. 말은 에너지를 쏟아내어 용기도 주고 기운을 연결하기도 하고 또 기운을 막고 꺾기도 합니다. 내 영혼에서 나오는 이 말은 사람을 죽이기도 하고 살리기도 할 수 있는 것입니다.

병원 갈 정도로 몸이 아프면 일단 병원은 가야겠지만 병원 가서 몸을 낫게 하는 것은 임시방편으로 안 아프게 수술이나 약으로 낫게 하는 것입니다. 이것은 다 낫게 한 것이 아닙니다. 몸이 이렇게 되기까지 왜 이렇게 되었는지 이걸 찾아야 합니다.

자연이 돌아가는 걸 모르고 삶 자체를 내가 잘못 알고 살아서 지금 아파진 것인데 이건 임시로 낫을 수는 있습니다. 하지만 내가 자연에 맞게 삶의 질량을 바꾸지 않으면 아픔은 또 오게 되어 있다는 것입니다. 세상 사람들은 말로 아파지고 말로 힘이 솟는 겁니다.

사람이 하는 말의 질량이 한 번은 작은 양이지만 이것이 0.1mm도 소멸이 안되고 이자연에 고스란히 질량으로 쌓인다고 합니다. 이 양이 70% 차면 양이 질로 바뀌면서 문리가 터져 그래서 좋은 일도 생기고 나쁜 일도 일어난다고 합니다.

사람과 사람이 웃으면서 소통을 즐겁게 하고 있다면 그것은 상생의 에너지를 흡수하는 것이고 오늘날 질량 시대에서는 절대 약 먹을 일도 아플 일도 생기지 않는 것입니다.

잘 갖춘 말 한마디는 인생을 바르게 살도록 모든 기운을 열어 줄 수도 있고 죽을 사람을 살릴 수도 있는 이것이 최고의 영약입니다.

"인간" 완성을 향한 여정의 시작

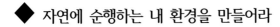

## ◆ 자연에 순행하는 내 환경을 만들어라

공의 마인드로 "상생" 할 때
우리는 기운이 충만해지고 주위에
모든 환경들이 좋아진다.
이 환경들이 모아져서 터지는 것이
잘한 것이면 복이 터지고
잘못한 것이면 사고가 터진다.

내가 발전하는 데는 살아가면서 지식과 말 한마디가 내 양식으로 내 영혼 자아에 부족한 질량을 채워주는 것입니다. 상대를 존중하는 나의 겸손이 바로 하늘 공부이고 내 겸손함이 스스로 나를 공부시키고 있고 지금 공부가 되고 있는 것입니다. 공부가 따로 있는 게 아닙니다.

그 선에서 상대를 존중하는 것이 그 위치에서 내 공부입니다. 그 공부가 끝나고 나면 자동으로 그 위에 급 공부 자리로 올라가게 되는 겁니다. 뭐든 공부한다는 생각으로 질 높게 접해야 합니다. 질 낮게 과거의 습관이나 개념으로 어디에 여행을 갔다 오드라도 눈요기 하고 명분 없이 질 낮은 생각으로 갔다 오면 시간만 낭비한 것으로 나도 모르게 잘못되어 심한 피로를 느끼게 되는 것입니다.

끊임없이 좋은 쪽으로만 발전해야 하는 게 세상 에너지 법칙 3 대 7의 원리입니다. 우리를 품고 있는 이 대자연은 온 세상 만물이 발전하도록 잘 되게 몰아가는 운행 원리가 있습니다. 우리 생각도 발전하게 하는 방법은 뭐든지 공부로 대하는 것입니다.

그렇지 않고 내 욕심으로 하면 역행하는 꼴이 되어 내한테 덕 된 게 아니고 시간이 지나면 이런 잘못들이 나도 모르게 하나 둘 내한테 모인다는 사실입니다. 모여서 터지는 게 잘한 것이 모이면 복 터지는 것이고 잘못한 것이 모이면 사고가 터지는 것입니다. 지금은 공의 마인드 "상생"으로 살아야 할 때라 합니다. 그렇게 살면 항상 내 기운이 충만해지고 피로감을 모르고 좋은 컨디션으로 살아가는 생활 환경이 갈수록 좋아진다는 것입니다.

그리고 행동은 내가 알아서 판단하고 하겠지만 내한테 필요해서 꼭 맞게 해주는 그 사람 말을 내가 깨끗이 받아 존중하면서 들어줄 때 내한테 지기 에너지가 들어오는 원리가

"인간" 완성을 향한 여정의 시작

있다는 것입니다. 사람은 에너지 교류형으로 천기와 지기를 연결하는 직립식입니다. 천기 지기를 잘 흡수해서 최종 마지막에 나오는 나무에 열매 같이 우리 사람의 말과 지식은 내 영혼이 먹는 유일한 양식 비물질 열매입니다.

음식은 단지 우리 몸을 유지하고 지탱하는 데 도움을 줄 뿐이고 내가 발전하는 데는 살아가면서 먹는 음식이 아니라 지식과 말 한마디가 내 양식으로 내 영혼 자아에 부족한 질량을 채워주는 것이고 그러려고 살고 있는 것입니다. 육신을 먹여 살리려고 사는 게 아니고 시간 마감 전까지 내 질량을 채워서 천상으로 홀연히 떠나려고 살고 있는 것입니다. 육신은 연장 도구로 잘 활용했으면 본래대로 자연으로 돌려주면 되는 겁니다.

알고 깨치고 가는 것 하고 모르고 그냥 먹고 살다 의미 없이 가는 것은 천지 차이입니다. 바른 걸 바르게 알고 사람을 바르게 대하고 살면 어려운 일도 안 좋은 일도 사고도 안 생기고 아프지도 않고 건강하게 잘 살이지는 것이 3 대 7의 에너지 법칙입니다.

우리는 알게 모르게 잘못 말하고 행동하고 생각한 이런 것들이 한 번씩 할 때마다 워낙 작은 질량으로 미세하게 오랜 기간을 탁한 기운으로 쌓이다 보니까 느끼지 못하고 한참을 가게 됩니다. 그런데 60%쯤 쌓이면 작은 조짐이 와도 그냥 무시하다가 탁한 기운이 70% 압이 차는 순간 그때 갑자기 어떤 안 좋은 일이 터지는 것입니다.

이것은 갑자기가 아닌 예고된 것인데 우리는 갑자기 우연으로 알고 그 일을 겪고 또 가는 겁니다. 하지만 상식을 깨는 정법 강의로 진리를 흡수하면 알게 모르게 잘못하지 않는 이것이 가능해져 미리 예방할 수 있고 줄여 나갈 수 있다는 것입니다.

지금 내 환경이 어떤지도 모르고 오는 대로 부딪히고 겪으며 사는 것보다 미리 알고 자연에 순행하도록 내 환경을 만들어 윤택하게 사는 게 더 낫지 않나 생각합니다. 자연에서 이끌어 줄 사람은 다가오는 모든 환경을 내 공부로 받아들이려고 노력하는 사람입니다.

공부하는 사람은 하늘이 돕게 되어 있는 것이 자연의 법칙입니다. 이제는 생활 공부를 해야 하는 때가 되었다고 합니다. 벌써 10년이 넘도록 유튜브에 올라오고 있는 정법 강의를 여러분도 들으시고 모든 살아가는 환경을 좋게 가져가 보십시오.

# ◆ 사람답게 살려면 생각의 질을 높여라

<u>공적인 마인드로 사는 생각의 질량이
높은 사람은 대자연의 힘을
그만큼씩 쓰게 되어 있고 지혜도
그 만큼씩 열리게 되어 있어 실패가 없다.
생각의 질량을 높이는 것은 정법 강의로
총체적인 것을 이해 하면 그렇게 된다.</u>

사람의 생각은 자신의 질량만 한 생각만 할 수 있고 더 좋은 생각은 아무리 애를 써도 할 수 없다고 합니다. 지식을 갖춘 만큼 그 지식의 질량만 한 생각만 할 수 있다는 것입니다. 얕은 생각은 머리에서 운용되지만 깊이 있는 생각은 내 자아 영혼에서 일으킨다고 합니다.

영혼에서 그 질량 키만큼 울림을 일으킨 것이 운동력이 발생하면서 기관을 거쳐 파장이 이동해서 입으로 말 에너지가 나오는 것이 생각이라고 합니다. 그런데 이 생각이 우리가 상식적으로 생각하는 생각 보다 훨씬 더 크게 자연에 작용을 일으키고 있다는 사실입니다. 일상생활 속에서 내 생각이 어떠하냐입니다.

항상 배우는 자세라면 힘이 들지 않지만 계산하고 사적인 욕심을 내면 이때부터는 자연의 기운이 동하지 않아 내 혼자 힘으로만 해야 하니까 몸이 늘 피곤하고 힘이 드는 것입니다. 사람은 생각의 질을 높이는 것이 사람답게 사는 것이라 하고 그 질을 높이려면 정법 법문으로 총체적인 것을 이해를 할 때 그렇게 된다고 합니다.

젊은 나이 30대까지는 사회를 공부하는 시기입니다. 생각이 모든 것을 공부로 대해야 너를 도울 수 있는 명분이 되는 것입니다. 우리 사람은 상대성으로 생각의 말을 주고받는 에너지 교류형이라 내 생각에 맞추어 내 앞에 환경을 나열시켜 준다고 합니다.

특히 사람을 고쳐야 하는 의사직은 주어진 역할로 환자를 보는 것을 돕고 있다고 생각을 하기 보다 환자를 내 공부로 받아들이고 배우려고 하는 생각으로 병원 공부를 해야 하는 것입니다. 그러면 그 생각에 맞추어 그거를 잘 배울 수 있도록 모든 환경을 우호적으로 해주고 일 량도 적당히 오게 해서 힘들지 않게 해 주지만 그렇지 않고 환자를 돕는다고 나보다 낮게 보고 사적인 계산을 하고 질량 낮은 생각으로 병원 생활을 하면 그 질량에 맞추어 말도 모나게 해주게 되고 일 량도 돈준 만큼 일을 시켜 먹으려 하는 그런 실제 상황이 현장에서 일어나는 것입니다.

이 현상은 나로부터 비롯되는 그 상황들을 내 기운에서 만들어 온 것이고 그 환경을 내가 불러들인 것입니다. 일이 많고 적음에 대해 생각하고 그런 계산을 하기 보다 잘못 살아서 환자가 되어 인연으로 온 이 사람들을 내가 배우고 공부해서 두 번 다시 잘못 살지 않고 바르게 살 수 있도록 정신을 일깨워주는 심의가 되어야 하는 것입니다.

이 환자들을 통해 세상 돌아가는 이치를 배우면서 겸손하게 사회를 위한 이로운 활동을 하고 있다는 공적인 이 생각들이 모이고 압축되면 나는 비로소 공인으로 세상 최고의 힘을 가지는 "홍익 이념"을 품게 되는 것입니다.

공적인 마인드를 가진 사람은 실패가 없다고 합니다. 항상 대자연의 힘을 그만큼 쓰게끔 되어 있고 지혜도 그 만큼씩 열리게 된다고 합니다. 그리고 내가 공적인 사람에게는 하늘의 힘이 절대 틀리게 주지 않는다는 것입니다.

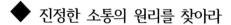

# ◆ 진정한 소통의 원리를 찾아라

과거 성장하던 시대의 소통과
인간이 다 성장한 지금 시대의 소통은
추구하는 이념이 다르게 되어 있다.
그래서 지금 시대는 상식 위에 진리로
한단 올라설 때 그 속에서 일어나는
소통만이 진정한 소통이 될 수 있다.


지식인 사회가 만들어진 지금은 모든 분야가 질량이 충만한
사회가 되어 그동안의 모순들이 나오고 있는 중입니다. 지
난 과거를 돌아볼 때 사회가 한창 발전하고 성장할 때는 어
지간한 문제는 그냥 덮고 갈 수 있었던 때입니다.

　하지만 지식이 다 성장된 오늘날 사회는 시대적 환경이
급변하면서 덮고 오던 모든 분야의 문제들이 속속 드러나고
새로운 사회문제가 겹치면서 그 속에 가족문제도 크게 대두

되고 있는 것입니다. 복지를 추구하고 있는 오늘날 사회는 모든 것이 소통이 되지 않아 일어나는 것으로 이제는 소통의 중요성을 알아야 하고 소통의 근본을 풀어야 할 때입니다.

지식이 상식화된 오늘날 사회에서 서로가 소통이 안되면 필연적으로 문제가 일어날 수밖에 없다는 전제하에 자연의 운행 법칙 진리를 통해 사람이 하는 말이란 게 무엇인지 말의 중요성에 대해 정리해 봅니다.

과거 수천 년 전은 인간이 라이터 불만 켜도 놀랬던 시대가 있었습니다. 인간의 DNA가 성장하지 못하고 질량이 낮았던 과거 시대는 무조건 믿어라 하면 편하게 믿을 수 있었던 시대였습니다. 하지만 지금 시대는 무조건 믿고 하라고 하면 안 되는 지식 질량이 충만한 인간시대가 되었습니다. 우리 인간은 신도, 동물도 아닌 중간 삶을 살고 있는 개체 에너지 기운이라고 합니다.

그리고 나는 본향 우주에서 온 원소 에너지라 합니다. 인간 육신에 들어와 살 때는 인기라 하고 인생 시간을 마감하면 영혼기로 순환되는 나는 소멸되는 존자가 아니고 삼사 차원을 오가며 사는 위치가 다를 뿐으로 영혼불멸인 것입니다. 우리 인간과 자연은 에너지 질량에 따라 움직이고 하나의 운행 법칙으로 비물질이 물질을 운행하고 있다고 합니다. 오늘날 인간이 생산하는 말 에너지와 지식 에너지는 비물질 에너지입니다.

인간 비물질 에너지가 말을 한다는 것은 육신 안에 있는 내 영혼이 지금 에너지를 전달하고 있는 것으로 이것이 눈으로 들어가고 귀로 들어가고 모공으로 들어가는 것입니다. 이 에너지를 얼마나 잘 받아들이느냐에 따라 사람이 달라지고 사고도 달라지고 인생의 모든 환경이 변해가는 것입니다. 사람의 말은 비물질 에너지로 독이 서린 말을 하면 그 사람을 죽일 수도 있는 게 말입니다.

지금 사회는 인터넷 세상으로 서로가 지식을 공유할 만큼 질량이 꽉 찬 사회입니다. 이제는 우리가 말을 하는 것이 무엇인지 말의 질량을 이야기할 때가 되었습니다. 사람 한 사람 한 사람은 개체 에너지 질량을 이야기하는 것입니다. 과거에는 질량이 너무 낮아 질량 소리를 못했지만 지금은 사람들이 전부다 질량이 커졌기 때문에 이제는 질량의 법칙이 적용되는 것입니다.

사람의 질량은 육신의 질량을 이야기하는 것이 아니고 내 영혼의 질량을 이야기하는 것입니다. 육신이 진화 발전을 하는 것은 동물 세계 이야기이고 내 영혼이 진화 발전을 하기 위해서 윤회하는 것이 인간입니다.

인간의 말은 내 영혼의 울림으로 기운이 뿜어져 나오는

것입니다. 지금 시대는 내 영혼의 질량이 아주 충만해져 있고 상대에게 말을 하는 것은 내 영혼이 작용하는 것입니다. 말을 하는 것은 인간 동물이 하는 것이 아니고 내 영혼이 기운을 내뿜어서 이야기를 하는데 상대가 잘 안 받아들이면 내가 미치는 것이데 이것은 육신이 아니고 육신 안에 있는 영혼이 미치는 것입니다.

나는 내 육신 안에 있는 영혼 이것이 '나'입니다. 내 육신은 다 쓰고 폐기처분해도 내 영혼은 절대 폐기처분이 안되는 것입니다. 이것이 삼사 차원을 왕래하면서 윤회를 해 왔던 것입니다.

내가 말을 하는 것은 나의 척도와 질량을 나타내는 것으로 말을 나누어보면 그 사람의 질량을 알 수가 있습니다. 우리가 말을 잘못하게 되면 의사소통이 안되고 신용을 깎아먹고 의심을 받을 수밖에 없으며 사람이 낮게 보이는 것입니다.

말을 안 하고 있으면 저 사람의 질량을 알 수가 없어 미워하지를 못하지만 말을 하는 순간에 질량의 높고 낮음이 드러나 좋아할 수도 미워할 수도 있는 것입니다.

이것이 말입니다. 지금은 진정한 소통의 원리를 찾아야 할 때입니다. 오늘날 저마다의 소질로 갖춘 너의 상식과 나의 상식이 서로 부딪치지 않고 원만한 소통을 위해서는 자연의 운행 원리를 알아야 합니다. 서로가 추구하는 이념이 같은 생각들이 융합되어 새로운 신개념으로 한단 올라갈 때 그 속에서 일어나는 소통이 진정한 소통입니다.

그러면 가족도 사회도 모든 문제를 풀어낼 수 있고 사람을 널리 이롭게 하는 홍익 사회도 열어 갈 수 있는 것입니다.

"인간" 완성을 향한 여정의 시작

##  에너지는 질량 따라 흐르고 이동한다

지식은 비물질 에너지로 물질을
움직이고 운용한다. 하지만
지식 성장이 끝난 지금은 갖춘 지식에
진리로 밀도를 높이지 않으면 어떤 일도
바르게 실력 발휘를 할 수가 없다.


에너지 질량 이동의 법칙 안에는 에너지 질량이 운행의 법칙을 가지고 있습니다. 끊임없이 흐르는 자연의 에너지는 스스로 운행되는 밀도 싸움이고 먹이 사슬로 에너지를 전달하고 있습니다. 그러므로 모든 에너지 질량은 희생 속에서 질량이 만들어지는 것입니다.

에너지는 질량 따라 흘러가고 항상 질량이 차면 이동합니다. 이 질량들을 이길 수 있는 나 자신을 갖추지 않으면 그것들은 우리 것이 되지 않는 겁니다.

예를 들어 질 높은 교육을 받아 지금 보다 내 질량을 10을 키웠다면 10만큼 내 에너지 질량과 일치 시키기 위해 내 육신을 유지하는데 필요한 물질 에너지를 사람들을 통해 내한테로 오도록 에너지 질량이 그렇게 운행을 하는 것입니다.

질량에는 물질의 질량이 있고 사람의 질량이 있습니다. 그리고 또 비물질인 영혼의 질량과 지식의 질량이 있습니다. 물질의 질량은 금의 질량과 철의 질량이 틀리듯이 모든 물질과 원소는 그 질량이 전부 다 다른 것입니다.

지구에 있는 모든 물질과 원소들은 우주 은하계에서 수억만 년 동안 진화하면서 서로 다른 질량을 만들어 계속 업그레이드해서 고농축 질량으로 이동시킨 것입니다.

오늘날의 우리 지구도 그렇게 물질이 만들어졌고 우리 인간 물질을 만드는 원소들도 그렇게 만들어 지구로 다 보내져서 우리 몸을 만든 것이라 합니다.

사람의 질량은 자연으로부터 이 세상에 태어나면서 가져오는 질량이 있다고 합니다. 이 질량은 교육을 통해 보충시켜서 키워지는 것입니다. 그래서 교육을 받고 지식을 쌓는 이유입니다.

그리고 사람의 질량을 크게 나누면 3 대 3 대 4로 되는데 앞에 3은 큰 질량 30%가 있고, 중간 3은 중간 일을 하는 30% 질량이 있습니다. 그리고 뒤에 4는 일반 국민들 40% 질량이 있습니다. 그리고 개인적으로는 자연에서 사주로 받아 오는 질량이 있고 현재 하고 있는 일과 갖춤을 갖춘 정도에 따른 자신의 질량이 있다고 합니다.

그리고 체질별 질량 급수가 있고 오행이 잘 생기거나 우수한 일을 하는 사람은 질량이 높은 사람들입니다. 큰 질량으로는 대통령, 회장, 장관급들이 있고 중간 간부급들과 일반인의 질량은 또 다른 것입니다.

중간은 질량이 작지만 큰 질량에 붙어서 같이 일을 해야 하므로 이 경우는 큰 질량으로 본다고 합니다. 큰 질량을 가진 사람은 그만큼 주변에 모인 사람들이 즐겁게 살 수 있도록 이끌어줘야 하는 책임이 있습니다. 사주로 받아 온 큰 질량만 믿고 위에 것만 바라보고 공부를 안 하고 갖추지 못하면 자신에게 주어진 그 사람들을 즐겁게 살수 있도록 이끌 수 있는 힘이 없습니다.

그러면 자신의 삶이 어려워지게 되고 죄가 0.1mm도 소멸되지 않는 것입니다. 내 영혼은 전생에 자신이 어떻게 살았는가에 따라 다른 환경이 주어져 이 땅에 와서 살아가게 되는데 지금 주어진 환경을 불만하지 않고 감사히 흡수하고 자신의 모순과 잘못된 습관을 바르게 고치려고 노력하고 주어진 일을 충실히 해나가면서 공부를 하면 내 영혼의 질량이 전생보다 더 높아지게 되는 것입니다. 지식의 질량은 지식이 부족하면 우수한 분별을 할 수가 없고 세상을 볼 줄도 모르고 지혜로운 답을 낼 수가 없습니다.

지식이라는 것은 인류 역사가 빚어낸 에너지로 모든 조상들이 윤회하면서 시대 시대를 계속 업그레이드 해가며 희생 속에서 모두가 정리해 놓은 것이 지식 에너지입니다. 이것을 습득하지 못하고 챙기지 못하면 우리 영혼의 질량이 높아지지 않습니다.

지식은 비물질 에너지로 물질 질량처럼 만질 수는 없지만 물질을 움직이고 운용할 수 있으며 우리 영혼의 질량을 높이는 역할을 하는 겁니다. 아무리 자연의 에너지 주파수에 연결을 하고 신과 연결이 되어 있더라도 그 힘으로 어떤 일을 할 때는 내 실력으로 해야 하는데 지식의 밀도를 높여 놓지 않으면 그 실력을 발휘할 수 없고 힘을 바르게 쓸 수가 없습니다.

질량이 높으면 높은 만큼 실력이 있어야 힘을 쓰는데 질량만 높고 실력이 없으면 자신도 모르게 사람들한테 성을 많이 내게 되고 아무리 좋은 인연이 오고 많은 재물을 얻었어도 분별력이 떨어져 운용할 줄을 몰라 빛을 내지 못하는 것입니다.

자신의 질량은 현재 자신의 삶에서 지난 3년 동안의 평균값입니다. 기준을 3년으로 해서 내 삶의 평균이 곧 나의 현재 질량이 되는 겁니다. 즉, 3년 동안 오르락내리락했던 자신의 삶의 평균이 현재 자신의 질량이 되는 것입니다. 이 질량을 업그레이드하는 방법은 어떤 일을 할 때 자신의 질량보다 10~30% 높은 일을 해서 발전을 하는 것입니다.

질량이 큰 사람이 자신의 공부를 하지 않아 사람들을 이끌어주지 못하면 수난을 당하게 되고 또 오행이 잘 생기고 예쁜 사람이 우수하고 질량 있는 일을 하지 못하면 미인 박복이 된다는 것입니다.

자연에서는 각자에게 인연들이나 재물들을 보내줘서 자신의 질량을 채우도록 하는데 공부를 해놓지 않으면 보내준 인연과 재물을 바르게 운용하지 못하는 것입니다. 그래서 질량 있는 지식을 배우고 갖추어야 하는데 지금 시대는 일반 지식으로는 이제는 약하고 식상해서 안되고 질량의 밀도가 강한 진리를 배우고 갖추어야 하는 겁니다. 후천시대에 나온 이 정법은 엄청나게 우수한 새로운 고 질량의 진리 법문입니다.

지금은 이 진리 법문을 듣고 공부하면서 내 주위 사람들과 소통을 잘 하는 것만이 질량을 높일 수 있는 유일한 방법입니다.

제4장

상식의 굴레에서 벗어나라

**상식을 깨는 진리의 지혜를 가져라**

내 앞에 보이는 환경은 내게 다가올
가까운 나의 미래이다.
오늘 현실을 직시하는 것만이 내 공부가
되는 지금 시대가 되었다.
그리고 사람이 재미있게 사는 것은
모르고 살던 것을 배우고 알아갈 때
그렇게 살아진다.

반복해서 들리는 말이나 보이는 환경이 있다면 그것은 대자
연이 주는 경고입니다. 큰일을 당하기 전에 작은 일로 미리
알려 준다는 것입니다.

만약 사기를 당했다는 소식을 계속 접한다면 조금씩 내게
사기당할 때가 다가오고 있는 것입니다. 결국 작은 것부터
당하기 시작할 때 내 욕심으로 비롯된 것인 줄 모르고 상황

을 원망하고 원인을 찾지 못한다면 더 큰 사기당할 일이 또 오게 되는 것입니다. 똑같은 상황이 반복된다면 내가 무엇을 놓치고 있는지 생각하고 공부를 해야 합니다.

지금 들리고 보이는 모든 환경은 내게 다가올 가까운 나의 미래인 것입니다. 내가 그런 주파수가 없다면 절대 그런 게 내한테 오지 않습니다. 진리는 모든 것을 아는 홍익인간 인성 공부입니다. 앞뒤가 들어 맞고 진실하고 올바르게 마땅히 행해야 할 바른길을 진리라고 합니다.

지금은 홍익인간 시대입니다. 정법으로 나를 갖추어 앞으로 사회를 참여하기 위해 준비를 하고 있어야 한다고 합니다. 내 앞에 오는 환경을 잘 흡수하고 목표를 세우기 보다 할 일이 오면 공부하는 생각으로 그냥 하는 겁니다. 세상 모든 것은 전부 다 그 환경에 맞게 하고 있고 맞는 것이니까 지금은 분별도 평가도 하지 말고 받아들여야 합니다. 너무 황당한 얘기 같지만 총체적인 공부를 하고 보면 지금 시대가 돌아가는 운행 법을 이해 하게 되는 것입니다.

후천시대 대한민국은 아직까지 공부 중이고 깨닫게 하려고 오늘날이 이렇게 어려운 것이라 합니다. 사람은 죽을 때까지 공부한다는 소리가 사람이 하는 말을 바르게 듣고 받아들이는 이 공부를 말하는 것입니다.

아! 이런 말을 내가 아직까지 들어야 되는구나! 하고 쓸어안아야 합니다. 사람은 왜 사는지? 어떻게 사는 게 바르게 사는 것인지? 왜 우리는 사람들과 교류하면서 관계를 이어가는지? 무엇이 진정 사람을 이롭게 하는 것인지? 이런 걸 하나하나 알고 깨치는 게 정법 공부입니다.

모든 것은 인연법으로 시작해서 얽히고설켜서 환경이 만들어지는 것이고 내 인생은 상대성 원리로 해서 바뀌는 것입니다. 내한테 오는 인연 100% 중 30%는 입을 닫고 들으면서 겸손하게 의논을 해야 하는 인연이고 30%는 존중하면서 나눔을 해야 하는 인연이고 40%는 자기 어려움을 내한테 얘기하는 인연입니다.

이 인연들을 잘 대하지 못하면 이것이 누적되어 모든 일이 일어나는 것입니다. 가족 인연은 인간이 되기 전에 이미 어떤 환경으로 인연이 된 것이 가족 인연입니다.

지금 가족 인연을 새롭게 알듯이 세상을 재미있게 사는 것은 새로운 것 모르던 것을 배우고 알아가는 것이 재미있게 사는 것입니다. 그래서 오늘날 상식을 깨는 새로운 역설을 몇 가지 나열해 봅니다.

지금은 묻지도 않는데 답이라고 얘기하면 부딪힙니다. 일반 상식이 아닌 진리 지식을 나누는 것 만이 그 사람을 위하는 것입니다.

지혜는 깨끗하게 그 사람 말을 유심히 잘 듣고 받아들일

"인간" 완성을 향한 여정의 시작

때 이 지식이 양이 뭉쳐 질로 변하면서 상생의 원리로 지혜가 나온다고 합니다.

내 주위를 잘 지내면서 힘의 질량을 모아야 이 힘이 나를 끌어올린다고 합니다. 힘의 질량은 내 주위에서 모아야지 윗사람 관계에서는 절대 모이지 않는다는 것입니다.

뭐를 선택할 때도 명분의 질량을 따져야 합니다. 공적인 명분 있는 일은 자연에서 도와 주지만 사적인 명분은 거기에 걸려 다음 일이 풀리지 않는 문제가 생기는 것입니다. 뭐를 하려고 할 때 갈등이 생기면 안 하는 게 정답입니다. 계산하지 않고 일어나는 대로 그냥 하는 겁니다. 자연에서는 계산하고 걱정하고 의심하고 성내고 있는 동안에는 절대 복을 주지 않는다고 합니다. 노력하는 사람에게 복을 준다는 것입니다.

자존심은 이념이 있어야 자존심이 있는 것입니다. 이념이 없으면 자존심이 아니고 고집입니다. 그러니까 지식을 많이 갖춘 지적인 사람은 목에 칼을 대도 흥정을 안 하는 것입니다.

뭐든지 내가 발전하고 있으면 탈이 안 난다고 합니다. 누구든 존중하는 공의 마인드로 생각이 발전하고 있으면 삶이 편해지고 우리는 발전을 멈추면 정신으로 먼저 환자가 되고 그다음 육신으로 병자가 된다는 것입니다.

누가 잘못했느냐를 따질 때는 답답하고 화나고 깝깝한 사람이 무조건 더 잘못한 사람이라는 게 자연의 법칙입니다. 내 앞에 사람을 사랑하려면 내 모순을 다스려야 그것이 가능해집니다.

그리고 정은 일부러 들이지 마십시오. 못 배울수록 정이 많습니다. 만일 억지 정을 많이 쌓아 서로 정이 들었다면 정이 든 만큼 나중에 말썽이나 사고가 일어나는 것입니다. 그리고 또 지난 환경들에 대한 감사함을 가져가야 그다음에 감사할 일이 오게 된다고 합니다.

복은 오랫동안 노력해서 잘한 게 쌓여가 언젠가는 터지는 게 복 터진다고 합니다. 모든 상식을 깨는 이 진리가 우리 영혼에 축적되니까 영혼에 문리가 터지는 게 깨달음이라고 합니다.

영체를 가지고 있는 우리는 영혼이 살아가기 때문에 이제는 진리 지식인 영약을 먹어야 영혼의 질을 높일 수 있고 지혜도 가질 수 있고 오늘날 질 높은 사회를 이겨 나갈 수 있다고 합니다. 여러분도 이 진리를 갖추십시오.

"인간" 완성을 향한 여정의 시작

**고집은 고집이 아닌 암을 다스릴 때다**

자신의 실력이 모자라 상대의
이념이나 개념을 바꾸어 줄 수 없을 때
고집이라 칭한다.
이 고집은 자아에 대한 집착이다.
그리고 자신의 의견을 바꾸지 않고 세포가
딱딱하게 굳도록 버티는 걸 말한다.

고집은 그것이 옳은 줄 알고 일관되게 생각하고 말하고 행
동하는 이것이 엄청 강할 때 내 육신의 세포가 딱딱하게 굳
어져 종양이 암이 되는 것입니다. 우리 육신은 내가 어떻게
살아왔는가를 표현해 줍니다.

육신이 많이 아픈 사람은 고집불통인 사람입니다. 육신은
도구이고 우리가 성장하는 건 내 영혼 신입니다. 너의 고집
을 꺾기 위해 아픔을 주고 어려움을 주어 지금 공부를 시키

고 있는 것입니다. 고집을 부린다는 것은 상대가 이해 안 되는데도 자꾸 주장을 하는 것을 말합니다.

고집은 기운이 센 사람이 편견을 가지고 다른 사람을 이 해시킬 수 있는 실력이 없이 자기주장을 하는 겁니다. 이것 은 자아에 대한 집착이고 자기의 의견을 바꾸거나 고치지 않고 세포가 딱딱하게 굳도록 버티는 걸 말하고 이제 고집 은 고집이 아닌 암을 다스릴 때가 온 것입니다.

상대가 고집을 부리는 것처럼 보이는 것은 내 실력이 모 자라서 상대가 가지고 있는 이념이나 개념 논리를 바꿀 수 없기 때문입니다. 상대를 대할 때 그 사람과 대화를 해서 그 사람의 사고를 변환시킬 수 있느냐의 문제이지 상대가 고집이 센 것이 아닙니다.

누구든지 자신이 고집이 세다고 생각한다면 누군가가 일 깨워 주고 벗어날 수 있게 사고를 깰 수 있는그런 이론을 이해 되게끔 설명해 준다면 누구든지 고집부릴 수가 없게 되는 것입니다.

뭔가 주장하는 것은 내가 모자랄 때 주장하여 밀어붙이는 행위이며 서로의 관계가 금이 가고 통하지 않게 되는 근원 입니다. 고집멸도란 고집을 부리면 멸망한다는 뜻입니다. 상대의 고집에 대처하는 방법은 상대가 주장을 하고 계속 그걸 꺾지 않을 때는 이유가 있다고 보면 됩니다.

고집이 세고 자기주장이 강한 사람은 기운이 큰 사람이고 상위 기운을 가진 사람이며 큰일을 할 수 있는 사람이지만 주장하는 것에 대해 상대가 이해를 못하게 되면 고집부리는 것이 되고 고집이 세다는 소리를 듣게 되는 것입니다. 상대가 계속 주장할 때는 나는 입을 닫고 내 공부를 찾아서 하고 내 실력을 갖추어 가야 합니다.

내 것을 주장하면 고집쟁이가 되니 입을 닫고 열심히 내 일을 하면서 추이를 보아야 한다는 것입니다. 상대하고 대화를 해서 뭔가가 좀 안 통하면 내가 그걸 주장하려고 들지 말고 이해시킬 수 없다면 그냥 입을 다물어야 합니다.

상대를 이해시키지 못하면서 자꾸 주장을 하게 되면 상대를 까깝하게 잘못한 만큼 내 몸에 변화가 일어나 딱딱한 세포가 형성되는 겁니다.

주장하기 보다 남의 말을 잘 듣고 뭐든지 존중하면 암이 낫고 남의 말을 안 듣고 짜증 내고 고집을 자꾸 부리면 암이 생긴다는 원리를 이제는 알아야 합니다. 내가 고집을 부리지 않기 위함과 상대의 고집에 대처하는 방법은 내 실력을 갖추는 노력을 해야 하고 뭐든지 주장하지 말고 의논하는 습관을 키워야 합니다.

고집은 정보가 모자라거나 내 실력이 없을 때 생기는 것으로 인터넷에 많은 정보를 흡수하면서 지금은 고 질량의 진리 정법을 흡수하는 것만이 고집도 부리지 않고 바르게 사는 정확한 답을 얻을 수 있는 겁니다.

그러면 삶속에서 일어나는 모든 것이 우호적인 환경에서 질량의 법칙이 연결되어 나를 엄호하는 자연의 방범창이 만들어지는 것입니다.

"인간" 완성을 향한 여정의 시작

## 모순과 상식의 오류를 지혜로 풀어라

진리의 법은 듣고 기억하는 게 아니고
알고 이해만 하면 된다.
그러면 내 영혼에 들어가 쓰일 때
저절로 정답이 툭 튀어 나온다.

인간의 경험들로 생산되어 온 이 지식이 모이고 압축되어 오늘날의 상식이 만들어졌습니다. 개인 논리에서 비롯된 이 상식이 더 이상 성장하지 못하고 서로가 상식끼리 부딪히는 오늘의 현실을 맞이한 것입니다. 상식의 모순을 답으로 알고 지나치게 강요되고 있는 삶속 오류들을 모아서 지혜로 풀어 봅니다.

어릴 때는 착한 것이 맞지만 커서는 착하면 안 되고 분별을 바르게 해서 냉철하게 해야 합니다. 성인이 착하면 나로 인해 내 주위에 나쁜 사람들을 생산하게 되어 내가 사회를 혼탁하게 만드는 장본인이 되는 겁니다. 그러니까 자기만 착하고 다른 사람을 전부 안 착한 상대성을 만들어 결국 본인만 손해 볼 일을 스스로 맞이하는 것입니다.

질 좋은 비싼 음식을 먹었다면 그 질량에 맞는 지적이고 공적인 생각과 말을 하고 살아야 바르게 하는 것입니다. 질 좋은 음식을 자꾸 먹고 질 낮은 사고로 행동하고 말하고 살면 얼마 안 가서 몸에 병이 오게 됩니다.

그 사람은 자기 질량에 맞게 잘하고 있는 것을 내 기준에 안 맞는다고 내가 비난하고 욕할 권한은 없는 것입니다. 이것이 욕하는 사람은 망하고 욕먹는 사람은 잘 되는 원리입니다.

필연적인 자원봉사활동을 갔다 와서 도우고 왔다고 마음이 뿌듯하면 큰 잘못을 저지르는 것입니다. 그곳에 간 것은 나도 그렇게 될 수 있는 그 기운을 품고 있어서 예방 목적으로 그 환경을 공부하러 현장에 보낸 것입니다.

그것을 모르고 거기를 도운 것으로 착각하니까 내 공부가 안되어 결국 시간이 차면 잘못되는 일이 일어나게 되는 것입니다. 이것이 봉사활동을 너무 오래 많이 하면 아프거나 사고로 죽게 되는 이유입니다.

돈과 물질로 누구를 돕는다고 뭐를 주는 것도 그 사람 자생력을 잃게 하고 의존형을 만들어 자기 인생을 망치게 하는 나쁜 짓을 하는 겁니다.

지금 사람들을 바르게 돕는 것은 정신을 일깨워 주고 정서를 키워주는 진리 교육입니다.

동료 간에 대화도 서로 나누어야 하는데 내 주장을 하고 아는 체 잘난체하면 상대를 나보다 낮은 사람으로 기분 나쁘게 만든 이 질량은 0.1mm도 소멸되지 않고 쌓여 나중에 안 좋은 일이 만들어져 내한테 돌아오는데 왜 그런 일이 내한테 일어났는지 모르고 당하는 것입니다.

의논할 일는 망한 사람한테 가서 묻지 말고 생생한 사람 잘 나가고 있는 사람한테 물어야 되고 물었으면 상대 의견을 반드시 반영해야 합니다. 처음부터 묻질 말던지 묻고 반영 안 하면 그 사람을 무시한 것으로 되어 내가 분명히 손해 볼 일이 생기는 것입니다.

문병이나 문상 갈 때도 내가 그 환경에 공부가 있어 나를 짚어보는 공부 하러 간다고 생각하고 가야 바르게 가는 것입니다. 과거에 하던 방식으로 하고 시간 낭비하면 그런 공부할 환경을 자꾸 만들어 줍니다. 이런 역행하는 잘못을 깨치지 못하고 탁한 기운이 자꾸 쌓이면 결국 안 좋은 일을 겪게 되는 것입니다.

우리가 만날 때는 우리 인간만 만나는 게 아니고 상대 서인과 내 서인이 같이 교류하고 있기 때문에 에너지 순환이 잘 안되고 막히거나 치우치면 나중에 정리되어야 하는 질량들이 만들어져 이런 것들로 어려움을 겪게 되는 것입니다. 내 마음에 안 든다고 무심코 상대를 무시하고 미워하는 생각을 2박 3일 넘도록 해서 탁한 기운을 쌓이게 하면 어떤 나쁜 환경을 내가 불러드리는 꼴이 생기는 것입니다.

누가 내한테 듣기 싫은 말을 하고 욕을 할 때는 화낼 일이 아니고 생각을 내가 이런 소리를 들을 정도로 뭘를 잘못했는가! 기운 원리를 감지하고 인연법으로 자연에서 주는 이 영약을 잘 받아먹어야 지금부터 내가 좋아지고 발전하게 되는 겁니다.

이 원리를 모르고 욕하고 미워하고 안 받아먹으면 나중에 더 심하게 다른 사람이 또 영약을 주는 일이 생깁니다. 나로부터 비롯되는 모든 것은 나를 짚어봐야지 남을 탓하면 탓할 때마다 내 질량이 한 단씩 떨어집니다.

생활 속에서 한 번은 작은 양이지만 모르고 잘못하는 이런 탁한 질량들이 모이고 모여 양이 질로 변하면서 문리가 터질 때 우리가 나쁜 일을 겪게 되고 이것이 대자연의 질량의 이동 법칙입니다.

좋은 일이 생기는 것도 마찬가지 원리입니다. 자연의 운행 원리에 바르게 했을 때 맑은 기운이 쌓여 문리가 터지는 것이 좋은 일이 생기는 것입니다.

내가 막 하고 싶은 거 또는 하면 될 것 같은 거 이거는 하면 욕심이 되는 겁니다. 지금 시대는 욕심으로 하면 100% 망하는 쪽으로 질량 운용체가 정확하게 돌아가고 있습니다.

내 질량이 70% 차면 거기에 맞는 환경과 분위기가 만들어지고 주위에서 한번 해보지 할 때 그때 겸손하게 받아서 하면 100% 잘 되는 것입니다.

그냥 하고 싶다는 것은 60% 질량이고 엄청 하고 싶다는 것은 질량이 50%도 안 찬 것입니다. 질량이 30% 미만인 사람은 아예 그 일을 하고 싶은 마음이 일어나지 않는다고 합니다.

욕심이 눈을 가린다는 말은 욕심을 내는 순간 뇌 장치 한쪽을 막아 잘못 되도록 분별력을 한단 떨어뜨리는 것입니다. 기운은 큰 사람인데 생각의 질량이 발전을 못하고 계속 낮은 단순한 일을 오래 하면 몸에 병이 생깁니다.

진리 지식을 갖추어야 생각의 질량이 높아지고 그 질량이 나를 잘 살게 하는 겁니다. 사람이든 일이든 마지막 마무리 정리를 잘해야 다른 곳에 가서 하는 일들이 잘 되는 겁니다. 특히 상대를 기분 상하게 해 놓은 상태로 헤어지면 내가 다른데 가서 하는 일이 꼬입니다. 당장은 못 풀어도 풀려고 하는 노력이 중요합니다.

사람을 초면으로 만났을 때는 상대 모순, 습관, 나쁜 버릇을 감당할 수 있을 만큼 천천히 가까워져야 내가 마음 상하는 일이 안 생기는 것입니다.

직장은 돈 벌려 간다고 생각하기보다 사회 공부하러 간다고 생각해야 힘든 일이 안 생기고 일이 바르게 진행되는 것입니다. 돈 벌겠다는 생각으로 가면 이상하게 힘들어지고 돈을 주는 만큼 일을 시켜 먹으려 하는 그런 상황들이 연출됩니다.

회사를 이직할 때도 모든 자료와 기술 노하우를 후배한테 주고 나와야 다른 회사 갔을 때 승승장구 합니다. 본인 기술을 후배한테 잘 전수하면 나는 한 단계 높은 기술을 얻게되는 겁니다.

거래는 시원시원하게 해야지 쫀쫀하게 따지면 다른 곳에 가서 쫀쫀하게 따질 일들이 만들어집니다. 그리고 하기 싫은 것은 안 하는 게 맞는 것이고 억지로 하면 지금 사회는 사고가 일어나는 때입니다.

또 할까 말까 갈등이 일어나는 것은 무조건 안 하는 게 바르게 하는 것입니다. 뭐를 할 때는 분명한 명분을 갖고 해야 하고 명분 없이 하면 탁한 기운을 발복시키게 됩니다. 최고 잘하는 것은 거기에 대한 공부를 해서 질량이 채워지고 그때 하게 되면 자동 정리가 잘 되는 것입니다.

공부하는 마음자세 일 때와 다른 사람을 위해서 뭐를 할 때는 하늘에서 돕고 내한테는 지혜가 나옵니다. 이것은 상생의 원리로 마음 에너지가 작동되어 그렇게 되는 것입니다.

지금은 이용성을 따지는 시대이기 때문에 어떤 일이나 사람이나 제품 또는 전화번호까지 무엇이든 친하고 가깝다고 소개해 주면 거의 잘못되거나 안 좋은 일이 생길 확률이 높은 것입니다. 내 신용을 소개해 주기 보다 인터넷 등 방법을 소개 해 주는 것이 바람직한 것입니다.

만약 30대가 사장이 되었다면 최소 3년, 또는 7년은 그 자리에서 겸손하게 사장 공부를 하고 있어야 합니다. 사장은 자연의 면접에 합격한 40대 중반으로 공부를 마쳐야 이 때부터 사장 자격이 있는 겁니다.

공부도 안된 애가 사장짓을 하면 처음은 되는 것 같다가 나중에는 돈 질량과 사람의 질량이 어긋나 결국은 오만가지 잘못되는 일로 끝나게 되는 겁니다. 과거 성장 시대에서는 애가 사장짓을 하드라도 조금은 되도록 해 주었지만 지금은 운용 시대라 완전히 안되게 되는 것입니다.

30대는 사회를 공부하는 자세로 참신하게 내 할 일을 성실히 하고 있으면 스카우트하려고 누군가가 지켜보는 사람이 생기게 됩니다. 이것은 에너지학상 정확히 나타나는 자연의 원리입니다.

40대 불혹은 나의 이념으로 면접을 통과해서 신용을 쌓고 사람을 얻고 경제를 갖추어 혼자가 아닌 융합으로 힘을 모아야 합니다. 50대 지천명 때 내 인생을 펼치기 위해 그 전까지 정리하고 준비하는 기간입니다.

50대 지천명이 되면 지혜로 지적인 일을 하라고 힘을 쓰는 노동 기운이나 기억력을 50% 덜어 낸다고 합니다. 이때 약한 부분이 병으로 드러나는 시기입니다.

예를 들어 중학교 나온 중소기업 사장 밑에 하버드대학 나온 사람이 일하러 왔다면 자연에서는 이 사람 분별력을 사장보다 30% 낮게 덜어 냅니다. 이것은 질서를 잡기 위한 자연의 운행 원리입니다.

새해 정월 보름전에 덕담 받으러 가면 안 되는 곳이 사업에 망한 사람, 병원에 있는 환자, 방구들 신세를 지고 있는 사람, 낙향한 사람, 풍을 맞든지 이런 환자한테는 덕담 받으러 안 가는 게 좋습니다.

가더라도 정월 보름 지나서 생각이 기운 받으러 가는 게 아니고 힘을 실어주러 가야 합니다. 정초가 되면 부모님 보다 먼저 덕망 있는 사람, 잘나가는 사업에 성공한 사람을 찾아가 새해 덕담을 먼저 들어야 합니다. 이 덕담 한마디는 올 한 해 키를 잡아 주는 아주 중요한 것입니다.

"인간" 완성을 향한 여정의 시작

에너지는 한순간도 정지 없이 항상 흐르고 있습니다. 세상에 일어나는 모든 것도 갑자기 일어나는 것은 아무것도 없고 모든 것이 진행형으로 만들어서 일어납니다.

혼자 계획을 해서 실천하던 것은 과거 성장 시대 때 저마다 소질로 따로따로 할 때 방법이고 지금 후천시대는 융합해서 운용하는 시대입니다.

과거에는 질량이 모지레도 같이 성장하는 시대라 돈 벌려면 벌고 가질 수 있었지만 지금은 운용 시대라 가진 돈도 경제도 바르게 못쓰면 다 뺏어 바르게 쓸 수 있는 쪽으로 그 힘을 옮기는 일이 벌어집니다.

지금은 내가 너무 똑똑하면 안 되고 지극히 겸손하게 내 질량을 채워서 분위기가 됐을 때 서로 맞춰 보고 팀워크로 질량을 융합해서 그 환경에 맞게 해야 시행착오 없이 잘 되는 것입니다.

**칼로 물 베기식 부부 싸움 필연 아니다**

전생에 죄업을 갚을 수 있게 인연법으로
서로에게 의무가 주어진 것이 부부이다.
부부 싸움은 그 의무를 수행하는 역할로
필연적인 것이 상식으로 되어 있다.
하지만 자연의 바른 지식을 갖추어
운행 원리를 깨치고 나면
부부 싸움이 필연이 아님을 알게 된다.


우리는 본의 아니게 칼로 물 베기식 부부 싸움을 필연적으로 하고 살지만 왜 싸움을 하게 되는지 본질은 모르는 것입니다. 하지만 총체적으로 아는 공부를 시작하면 부부 싸움을 하더라도 서로가 상대의 환경을 조금씩 인정하면서 싸움 횟수를 점점 줄일 수 있습니다.

그래서 결국에는 부부 싸움을 하지 않고 상대를 위해 사

"인간" 완성을 향한 여정의 시작

는 게 내 삶이라는 본질을 깨치게 되는 것입니다. 자연에서 나온 우리가 대자연의 운행 원리를 깨치고 이 원리가 부부 싸움에도 같이 적용이 되고 있다는 새로운 현실을 정확히 이해 하면 지식인으로 다 성장된 우리는 충분히 공감할 수 있고 부부 사이에도 항상 같이 의논하며 갈 수 있다는 것입니다.

지금 우리가 사는 이 지구 3차원을 한번 생각해 보고 이 것이 생기기 전을 한번 상상해 봅시다.

시작도 끝도 없는 무한한 우주 공간 원 대자연은 아무것도 없이 그냥 스스로 있은 겁니다. 그런데 이 공한한 우주 원 대자연 안에는 3 대 7이라는 근본의 함수 원리가 본래 부터 있었다고 합니다. 그리고 또 원소라는 개체 에너지들이 무한 공간 안에 세포 같은 존재로 있었다고 합니다. 이 두 가지 근본 핵심을 가지고 정법 강의를 토대로 부부 싸움의 원리를 풀어 봅니다.

우리 인간 사람은 본래 에너지 기운이라고 합니다. 우주에 있을 때는 원소 에너지라 하고 인간에 왔을 때는 인기라 하고 인간 육신을 벗어났을 때는 영혼기라 해서 사는 장소에 따라 이름이 다른 겁니다.

이 원소 에너지들이 수없는 시간 속에 우주를 운행하면서 상생의 원리로 완벽하게 순행 해야 하는데 그렇게 하질 못하고 역행하는 부분들이 있어 원소 에너지들이 탁해졌다고 합니다. 이 원소들이 시간이 지날수록 탁해지는 양이 점점 늘어나면서 우주의 30%가 탁해지는 순간 3 대 7의 원리가 작동되면서 문리가 터지고 우주 전체가 자동 발아가 일어난 것입니다.

이 발아가 에너지 기운은 끼리끼리 노는 원리로 일제히 움직이기 시작하면서 탁한 원소 에너지들이 한 꼭짓점으로 모여 대 폭발한 것이 지금 과학에서 말하는 빅뱅인 것입니다.

이 빅뱅으로 우주의 30%가 열처리 되면서 물질세계 3차원 천지가 창조되었고 제일 마지막에 지구 행성이 만들어져 여기서 상생의 원리로 탁해진 내 에너지를 맑히기 위해 우리는 인간 육신에 들어와서 인생을 사는 것입니다.

이런 근본을 이해할 때 생각의 확장성이 높아지고 포용하는 힘 또한 커진다는 생각입니다. 부부는 전생에 죄업의 고리가 있어 인연법으로 연결된 것이라 합니다.

지식이 완성된 지금 사회의 우리는 인간이 왜 사는지를 깨치는 자연의 진리 지식을 흡수해야 공허함에서도 벗어날 수 있고 부부 싸움도 점점 줄여 결국에는 싸움을 하지 않을 수 있다는 것입니다. 부부나 부모, 자식의 인연법은 전생에 죄업을 갚아야 하는 빚으로 서로에게 주어진 의무가 있어 수행하는 삶의 환경도 최고로 가깝게 준 것입니다. 최근 몇 년간 정법 강의를 들으면서 총체적으로 아는 근본 원리가 이해가 되니까 요즘은 확실히 부부 싸움이 뜸해진 본인의 발전된 모습을 느낄 수 있게 되었습니다.

앞으로도 아내와 항상 의논하면서 충분히 내가 다스릴 수 있겠다는 확신을 가지니까 오늘 일어난 이 다툼이 마지막이 될 수 있겠다는 생각이 들면서 상황들을 정리해 보는 것입니다.

최근에 집안 안팎으로 일들이 겹치면서 스트레스를 받고 탁한 기운으로 압이 차니까 며칠째 기분이 우울하다가 오늘 때가 되어 사소한 말 한마디에 문리가 터진 겁니다. 사람 개체 하나하나는 에너지 질량 덩어리라고 합니다. 이 에너지 기운을 품고 있는 사람이 평소에 기분이 좋을 때는 70% 맑은 기운에 탁한 기운 30%가 견제하면서 안정된 운행을 한다고 합니다.

그러나 자신도 모르게 자연에 역행한 것들이 있어 오늘같이 기분이 우울하거나 짜증이 나는 날은 그동안 역행으로 모아 온 탁한 기운 30%가 발복을 해서 40%, 50%를 거쳐 69% 가까이 압이 차니까 이 기운 환경에 맞는 역할자가 내 앞에 나타나게 되고 그 역할을 한 것이 오늘 아내가 내한테 기분 상하게 말을 한마디 한 겁니다.

이것이 단초가 되어 마지막 남은 1%가 더해지면서 압이 70% 차는 순간 3 대 7의 법칙으로 문리가 터진 것이 지금 내가 화가 폭발한 것입니다.

그동안 꽉 찬 압이 풀린 겁니다. 이 압을 풀지 못하면 내 몸에 세포가 상하게 되니까 상생의 원리로 그 역할자가 나를 도우러 온 것이 아내가 내한테 기분 상하는 말을 해준 겁니다. 우리는 모르고 했지만 그렇게 된 겁니다. 그래서 압이 풀어지고 나면 나는 또 70% 압이 찰 때까지는 아무 일 없이 그냥 갈 수 있는 겁니다.

이런 식으로 반복되는 것이 우리가 모르고 평생을 하고 있지만 부부 싸움은 자연에 바른 지식을 갖추지 못해 원인 제공을 우리 스스로가 만들어서 하고 있었다는 사실입니다. 내가 화를 낸다는 것은 너무 똑똑하기 때문입니다. 똑똑한 사람이 실력이 없으면 어떤 일도 해결 못하고 내 욕심대로 안되니까 화를 내는 것입니다. 자신의 모지램을 드러내는 못남의 극치인데 이걸 모르니까 서슴없이 그냥 하고 있는 겁니다.

우리가 화가 나면 화를 가라앉히고 절제하려는 노력을 하면 잠깐은 고요해질 수 있는 겁니다. 하지만 이것은 임시로 누르는 것일 뿐 건드리면 다시 불일 듯 일어나는 것입니다. 화가 날 때는 참는다고 화가 없어지지 않는다고 합니다.

"인간" 완성을 향한 여정의 시작

그러면 화나는 걸 근원적으로 없앨 수는 없을까? 그 원리를 알면 화낼 이유 또한 없어지는 것입니다.

어떤 사람이 내게 안 좋은 말을 했을 때 우리는 화가 납니다. 상대방이 나한테 안 좋은 말을 하는 것은 내가 평소에 살면서 뭔가가 옳다고 생각했지만 옳지 않게 살은 어떤 질량들이 있다는 것입니다.

이렇게 자신도 모르게 잘못 살았던 것들이 소멸되지 않고 그 에너지 양이 차곡차곡 쌓인다는 사실입니다. 이런 걸 모르고 안 좋은 말들이 들어올 때 계속 무시해 버리면 나중에는 결국 사고가 일어나게 되고 엄청나게 화를 낼 수밖에 없는 그런 상황으로 자제력을 잃어버릴 정도의 일들이 일어난다는 것입니다.

이 원리를 3 대 7의 법칙으로 풀어 보면 욕을 먹고 안 좋은 소리를 듣고 있는 나는 70%의 잘못이 있고 안 좋은 소리를 하고 있는 상대는 30%의 잘못이 있어서 지금 그 역할을 하러 온 것입니다. 그래서 상대가 나에게 화나는 말을 했다면 내가 이런 말을 들을 만큼 뭔가가 잘못 살은 것들이 조금씩 조금씩 녹아있었구나! 하고 미안한 마음으로 자신의 못남을 깨닫고 빨리 정리를 해서 챙길 수 있어야 내가 발전을 할 수 있다는 것입니다.

자신을 낮추고 상대를 욕하고 탓하지 말고 고맙다는 생각으로 마음을 잡아야지 시간이 좀 지났는데도 그 사람을 탓하고 자신의 잘못을 못 느끼면 결국은 자신을 치러 온다는 자연의 원리입니다.

반대로 나로 인해 상대방이 화가 났을 경우도 아! 화가 많이 났겠구나로 끝나면 내 공부는 안된 겁니다. 상대가 나한테 화를 내고 욕을 하면 나는 분명히 저 사람이 화낼 수 있는 어떤 것을 저 사람에게는 직접 하지 않았어도 어딘가에서 내가 조금 조금씩 잘못한 부분이 있었다는 것입니다. 뭔가 내가 잘못 행동한 것들이 조금은 들어있는가 보다 어째 저 사람이 나한테 이런 말을 하게끔까지 보였을꼬? 하면서 지금 당장은 내가 이해를 못하더라도 그럴 수도 있겠다고 생각하고 내한테로 끌고 들어와서 나를 만져 봐야 하는 것입니다.

그렇게 하면 남을 욕하지도 탓하지도 않게 되고 자신을 돌이켜 보며 공부를 하려고 하는 이 옵션 때문에 이제부터는 대자연에서 나를 돕기 시작한다고 합니다. 어떤 상대가 나한테 싫은 말을 해주는 것은 나한테 반드시 꼭 필요한 재료를 주는 것이고 지금 나한테 공부가 들어오고 있음을 알아야 하는 것입니다.

처음 작게 왔을 때 나를 짚어보고 내 환경을 고쳐야지 그렇지 않고 내 잘못을 인식 못 하고 압이 찼다 풀렸다를 자꾸 반복하게 되면 그 횟수만큼 더 강한 쪽으로 몰고 가서 나중에는 목숨까지 걷어 가는 것이 자연의 운행 원리라고 합니다.

우리 부부 싸움도 상대가 이 말을 하게끔까지 내가 그동안 뭔가 잘못 말하고 행동한 것들이 있는가 보다 하고 내 잘못을 찾기 위한 노력을 30% 하게 되면 이때부터는 서로가 조금씩 좋아지는 쪽으로 방향을 잡을 수 있도록 이끌어 준다는 사실입니다. 간혹 시험 공부거리로 들어오는 것이 있지만 이건 공부를 놓지 않고 기회 마다 의논을 잘해서 풀어 나가면 되는 것입니다.

이렇게 3 대 7의 법칙으로 우리를 스스로 관리해 주고 있는 자연의 운행 원리를 우리가 깨치지 못해 모르니까 부부싸움으로 내 몰린 것입니다.

이제는 자연의 운행 원리를 깨쳐 부부싸움 없이 이 정법으로 바르게 의논하며 도리를 다하고 서로를 위하면서 살 수 있는 그런 시대가 분명 온다는 것을 말하는 것입니다.

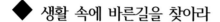

## ◆ 생활 속에 바른길을 찾아라

우리는 이제 사회가 발전하는 만큼
인간에서 머무르면 안 되고
사람 신이 되는 영성 쪽으로 발전해야
몸도 정신도 탈이 나지 않는다고 한다.
정법은 우리의 인성과 영성을
한꺼번에 잡아주는 자연의 진리다.


내가 건강하면 좋아서 사람이 오고 내가 아프면 사람이 떠납니다. 사람이 오면 못할 게 없고 사람이 재산입니다. 돈을 좇지 말고 오는 사람을 놓치지 마십시오. 돈은 그 안에 있고 경제도 그 안에 녹아 있는 것입니다. 남의 아픔을 씹어 먹을 때 내 건강이 좋아지고 내가 남에게 핀잔을 할 때 아픔이 돌아온다고 합니다. 우리의 생각과 감정은 면역체계에 핵심적 역할을 하고 몸 전체에 큰 영향을 끼친다고 합니

"인간" 완성을 향한 여정의 시작

다. 또한 생각과 감정이 우리 신체의 생화학 반응을 유발한다는 증거도 이미 충분히 나와 있습니다. 우리가 부정적인 생각을 하거나 끊임없이 화를 낼 때 우리 몸은 스트레스를 받아 순환되고 있는 피가 뻑뻑하게 된다고 합니다.

이것은 몸의 면역체계를 망칠 뿐 아니라 신경계와 내분비계도 엉망으로 만드는 것입니다. 하지만 희망과 낙관주의 그리고 긍정적 사고와 좋은 사회적 관계는 면역체계에 긍정적인 영향을 주어 피를 맑게 하고 우리의 삶도 윤택하게 한다는 것입니다.

질량이 꽉 찬 지금 사회는 바른 생각으로 말을 어떻게 하느냐입니다. 세상에 명약은 물질의 독이 되지만 그것이 명약을 만들어내는 원료가 됩니다. 인류 최고의 독은 사람이 입에서 뿜어내는 말입니다. 이 독을 쓸어 마실 때 나는 영약을 먹게 되는 것이고 이것이 지혜의 말로 나오는 것입니다.

지혜는 마음이 조물을 해서 정답을 끌어내어 변화시켜 내놓는 것이라 합니다. 그리고 내 성격이 안 좋다는 것은 그것이 내 갖춤이 부족하고 모자라기 때문에 내 욕심대로 안되니까 성격이 안 좋게 된 것입니다.

내가 인성 갖춤이 모자라면 세상을 접하면서 뭔가가 내 멋대로 안되는 것입니다. 그러면 나는 자동으로 성격이 나

빨라 해서 나쁜 게 아니고 욕심 때문에 나빠진 것입니다. 내가 갖춤의 질량은 모자라는데 뭔가를 더 욕심냈을 때 그럴 때 잘 안되니까 화가 나고 성질도 나는 겁니다. 그러면 내 세포들이 트러블을 일으키기 시작합니다. 내 영혼에서는 뭔가가 비틀어지면 육신에 바로 직격탄이 날아왔어 그래서 세포들이 안 좋아지는 겁니다.

내 영혼에서 내 육신 세포들을 컨트롤해야 하는데 영혼이 꼬이니까 육신 컨트롤 하기가 힘들어집니다. 그럴때 사람이 피부가 탁해지고 얼굴을 쳐다보면 그 사람 환경이 다 나타납니다.

생활 속에 바른길을 찾아 내 기운을 자꾸자꾸 맑히면 원래 나한테 붙어 있던 탁한 기운이 주파수가 맞지 않아 떨어져 나가야 하는데 간혹 안 떨어져 나가려고 어떤 때는 팔을 아프게 한다든가 머리를 아프게 한다든가 여러 방식으로 표적을 주는 경우가 있다고 합니다.

사람한테는 누구나 들락 거리는 기운들이 있다는 것입니다. 이상하게 생각하기보다 정법 강의를 몇 개월 들은 상태에서 어디가 아플 때 조용히 혼자 말로 시험을 한번 해 보십시오 "내가 도와줄 테니 아무 걱정 말고 같이 공부합시다"라고 이렇게 하루 한두 번씩 3일 정도 말로 표현을 하고 나를 계속 다스리고 정법을 듣고 받아들이면서 내가 발전을 하고 있으면 나도 모르게 어느 날부턴가 아프던 게 소멸되고 내 몸 환경이 점점 좋아져 건강을 찾게 되는 것입니다. 우리는 몸이 아픈 것이 70%이상 기운으로 아프다는 사실입니다. 그래서 병원 검사에 나오지 않고 집에 오면 아픈 경우가 많은 겁니다.

혼자 말하는 것이 본인도 처음은 어색했고 적응도 안되었지만 지금은 익숙한 것이 내면에 힘이 생겨서 그런지 내한테 오는 환경 대부분이 이해가 되면서 내가 소화할 수 있는 힘이 생긴 걸 느끼는 것입니다.

사회가 발전하면 할수록 우리는 생활 속에 바른길을 찾아 인간에서 머무르면 안 되는 것이고 사람 신이 되는 영성 쪽으로 우리가 계속 올라가는 것만이 몸도 정신도 탈이 생기지 않고 잘 살아진다는 것입니다.

# ◆ 보이고 들리는 것을 내 공부로 흡수해라

내 앞에 주는 환경을 존중하고
쓸어안을 때 질량의 밀도가 강해져
문리가 터지게 되고 내가 발전하도록
되어 있는 이것이 대자연이 만든
기본 틀이고 근본이다. 젊은이 공부시기
이삼십 대를 어떻게 갖추느냐에 따라
인생 전체가 달라진다.

한 시라도 헛되이 보내지 말고 보이고 들리는 것을 흡수해서 내 공부로 받아들여야 합니다. 들리고 보이는 모든 것에 내 똑똑한 알음알이로 잣대를 대어 신간을 하고 옳니 그르니 하지 말고 그대로 받아들이는 것입니다. 내가 어떤 환경을 알고 있었더라도 그 환경을 잘못 알고 있다면 그 환경이 또다시 나에게로 옵니다.

"인간" 완성을 향한 여정의 시작

김치 맛을 제대로 내려면 모든 재료가 다 들어오고 나서 버무려야 원하는 진짜 김치 맛을 내듯이 내가 보기에 하찮은 환경이라도 나에게 모두 들어와서 보태져야 문리가 터지는 것입니다. 아직 다 안 들어왔기 때문에 그런 환경을 자꾸 보내주고 만나게 해주는 대자연입니다.

또라이 같은 사람이 내 앞에 와서 깝작대기도 하고 아는 체하며 같잖게 구는 것도 약초의 하나로 그것도 존중하면서 받아들여야 합니다. 내 앞에 오는 모든 것을 항상 존중하고 쓸어안을 때 문리가 스스로 일어나고 내가 발전하는 것입니다. 이것이 대자연의 에너지 하느님이 만들어 놓은 기본 틀이고 근본의 원리입니다.

어떤 사람의 일을 내가 간섭을 하게 되면 그것은 나와 관계되는 일로 변해 나의 일 량이 늘어나는 환경을 내가 스스로 만든 꼴이 되는 겁니다. 그래서 알고도 몰라라 하는 겁니다. 내가 알고 있어도 그 사람이 하고 있을 때는 모른 척하고 그 사람한테 맡겨 놓은 것을 그 사람이 하게끔 가만히 두고 나는 내 일을 열심히 하면서 그 사람이 하는 것을 한 번씩 봐주는 것도 내 공부가 되는 것입니다.

이렇게 지혜롭게 공부하고 흡수하는 내 질량을 키우는 것만이 내가 발전하는 것입니다. 우리가 어떤 일을 하는 환경에 있을 때 그것을 잘할 수 있을만할 때 이동수가 일어나는 이유도 그 일에 공부를 시키기 위한 것이지 쟁이가 되어 뭐를 창출하고 돈을 벌라는 것이 아닌 겁니다. 대자연에서 우리를 공부시킬 때는 근본적인 기본 에너지의 질량보다 30%를 덜어내 놓고 어디에 보내 주는 것입니다.

그래서 처음은 실수를 많이 하게 되는데 실수하는 걸 겁내지 말고 똑똑하려고도 하지 말고 남 밑에 일할 때는 공부하라는 것이기에 실수하면서 듣는 어떤 말도 다 쓸어 담아 흡수하는 것이라 합니다. 그렇게 하면서 가면 머지않아 크게 실력을 갖추어 지적인 일을 하게 되고 항상 겸손하게 하면 내 공부는 스스로 된다는 것입니다.

내가 보고 듣고 어디에 가고 하는 것은 앞으로 나에게 있을 일에 미래를 준비하는 공부 시키기 위해 주어지는 환경들이라고 합니다. 젊었을 때 흡수 공부를 안한 사람은 어른이 돼서도 반드시 그 공부를 하게 되므로 항상 공부하는 자세로 임해야 하는 것입니다.

이삼십 대는 하늘이 엄청난 조건을 준 황금기라 합니다. 먹고살기 위해 노력할 때가 아니고 또 잘 났다고 뽐내는 시간도 아니고 이 황금기에는 나에게 오는 모든 상황을 쓸어 마시고 실력을 갖추어 자신을 좋은 상품으로 만들어야 하는 시기입니다.

그러면 40대 면접에 합격하고 승승장구하는 겁니다. 젊은

"인간" 완성을 향한 여정의 시작

이삼십 대에 공부를 못하고 실력을 못 갖추면 40대에 면접을 보면서 추풍낙엽이 되는 겁니다. 이삼십 대에 어떻게 더 배우고 실력을 갖추었느냐에 따라 인생 전체가 달라진다고 합니다.

황금기에 나를 갖추어 상품을 만들어 놨다면 50대부터는 내 실력을 세상에 펼쳐서 존경받으며 사람을 널리 이롭게 하는 빛나는 삶을 사는 것입니다. 그러므로 내 앞에 주는 환경을 전부 다 흡수하는 공부를 해야 하며 앞으로 몇 년 후에 내한테 다가올 환경을 위해서 지금 내한테 주는 재료가 인연이고 직장이고 직장 이동수가 생기는 것입니다.

그 환경에서 어떤 것을 접하게 해주어서 지금 그걸 잘 흡수를 해놓으면 미래에는 스스로 내 앞길이 열리고 일들을 처리할 수 있는 능력이 생긴다는 것입니다. 호흡을 단전까지 깊게 하듯이 지식 흡수도 깊숙이 흡수해야 그래야 나중에 쓰이게 되는 것입니다. 얕게 들어와서 금방 내 보내버리니까 공부가 안 되는 것입니다.

너무 똑똑해서 진리를 듣고 바로 제품을 만들어 써버리면 자신한테 전혀 도움이 되지 않습니다. 진리를 흡수할 때는 깊이 있게 듣고 안에 넣어서 운용이 되고 기운이 만들어지고 해서 진리의 에너지를 운용할 줄을 알아야 합니다. 진리를 지식처럼 잘못 대하면 안되는 것입니다. 꾸준히 들으면 내 실력이 향상되고 입에서 나오는 제품마다 진리가 녹아나서 제품이 우수해지고 내 몸도 운용하는데 우수해지고 주위 환경에 에너지를 부르는 것도 달라지고 모두가 다 변하는 겁니다.

이제는 진리의 지식을 먹어서 내 영혼의 밀도를 키워야 새로운 패러다임을 낼 수 있는 지혜가 나옵니다. 너무 급하게 꺼내려고 하지 말고 지금은 내 질량을 키우는 공부를 하면서 흡수를 해야 하는 때라고 합니다.

"인간" 완성을 향한 여정의 시작

# 깨친 만큼 오는 어려움을 걷어준다

우리는 우리만 하는 게 아니고
항상 자연의 기운들 하고 같이 하고 있다.
이걸 모르고 깨치지 못하고 있으니까
깨칠 때까지 같은 환경을 자꾸 보여 준다.


자연의 바른길을 공부하는 옆에서 그래도 아내가 역풍으로 나마 잔잔히 흡수를 하면서 온 지가 벌써 10년이 훌쩍 넘어갔습니다. 자연의 지식으로 바른 정기를 흡수하면서 그동안 맑아진 기운으로 생활한 언행들이 주변 환경들을 우수하게 만들어 점점 더 안정되어가는 생활도의 모습입니다. 사람 기운은 끼리끼리 노는 에너지 법칙이라고 합니다. 생활 속에서 바른길을 찾아 생활도를 하는 것은 잘 살아질 수밖에 없는 미래의 희망입니다.

특히 수행자 체질 금체질은 항상 높은 거를 찾고 좋은 생각을 해야 하는 최고급 상위로 반드시 생활도를 해야 한다는 것입니다. 바르게 나의 모순을 깨치는 생활도를 하고 지내면 항상 보살피고 앞으로 올 어려움도 안 오게 막아 주지만 시간이 다 되었는데도 하지 않고 그냥 살고 있으면 내가 어려움을 직면하게 된다는 것입니다. 모든 에너지가 한 가지 법칙으로 운행되는 이 자연은 우리 인간에게도 예외 없이 가만히 놔두질 않고 항상 어떤 시간이 되면 어떤 미션을 준다는 것입니다.

그러기에 이 정법을 그냥 하면 좋고 안 하면 그만이고 가 아니고 지금 시대는 필히 이 정법 진리 공부를 해야만 하고 안 하고 살면 모든 게 어렵고 힘들게 살아진다는 것입니다. 특히 금체질은 상층 지도자 사주로 매번 아내에게 했던 말이 이 진리를 쓸어안을 때만 자연이 특별히 봐 준다는 사실입니다. 그렇지 않고 그냥 살면 금체질은 거지 꼴로 살아지게 된다는 것입니다.

지금 사는 대로 살면 되지 뭐가 그렇게 복잡느냐는 큰 오산입니다. 자연도 조상도 사회도 나를 그렇게 살게 가만히 놔두지 않는다는 겁니다. 자연의 운행 법도가 바뀌었어 그렇다고 합니다. 우리한테 다가오는 환경들이 과거 성장하는 동안에는 연습하라고 다가온 것이라 하고 오늘날 인류가 다 큰 2013년부터는 이제 실전을 치러야 하는 환경으로 과거

"인간" 완성을 향한 여정의 시작

와 다르게 운행 법이 돌아간다는 것입니다. 60평생 모르던 것을 쪼끔이라도 알고 내 모순을 찾아 깨치면서 살아가면 0.1mm도 안 틀리게 깨친 만큼 앞으로 올 어려움을 걷어 준다는 것입니다. 자연에서 나온 우리는 항상 자연과 함께 하고 있고 시간을 마감하고 다시 자연으로 돌아갈 때는 반드시 자연의 이치를 깨치고 집착 없이 나를 맑혀서 본성으로 가야 구천에 떠돌지 않고 한이 맺히지 않는다는 것입니다.

안타깝게도 실전을 치른 지난 방송 뉴스에 나온 사망 사고를 자연의 운행 법으로 사례를 들어 봅니다. 이상하게 생각하기 보다 똑똑한 지금 사회에서는 다른 각도로 의문을 가져 볼 필요가 있다는 것입니다.

서울에서 수십억의 돈을 벌은 사람이 생각을 잘못하고 농촌에서 편하게 살아보려고 온 경우입니다. 서울에서 경제적 부를 이룬 사람이 그 힘으로 서울시를 위해 뭔가 이로운 일을 할 생각은 못 하고 사적인 내 안위만 생각하고 농촌 시골로 내려온 것입니다. 농촌에 있는 사람들은 힘들게 일하며 열심히 살아가고 있는데 본인들은 전원주택 지어가 와이프랑 취미 삼아 농작이나 재미로 하면서 오손도손 저들끼리만 편하게 잘 살아 보겠다는 잘못된 생각을 한 것입니다. 공적인 마인드나 사회성은 눈곱만큼도 없이 아주 질 낮은 사적인 생각으로 그 많은 경제적 부를 안고 주파수를 그렇게 걸고 농촌에 내려오니까. 전원주택을 다 지어가다 죽고 다 지어가 살아보지도 못하고 죽고 또 다 지어가 몇 개월밖에 살지 못하고 죽고 왜 같은 모양새로 자꾸 죽어야 하는지 이걸 이 사회는 아직 근본의 답을 찾지 못하고 그냥 경찰 수사가 흐지부지되다가 끝이 나는 것입니다.

우리는 우리만 하는 게 아니고 항상 자연의 기운들과 같이 하고 있는데 이걸 모르고 깨치지 못하고 있으니까 깨칠 때까지 같은 환경을 자꾸 보여 준 겁니다. 우리 국민 천손 지도자들이 자연의 이치를 깨치고 정법을 수호해서 앞으로 인류에 큰일 해야 할 시간이 점점 다가오고 있는데 생뚱맞게 완전 역행하는 생각을 하고 가니까 자연에서 그 생명을 걷어 버린 것입니다. 그리고 우리 국민들 깨치는데 교과서 역할로 환경을 반복해서 보여 준 것입니다.

이제는 반드시 자연의 법칙을 알아야 할 때가 온 것입니다. 모르니까 겪고 당하고 편한대로 해석을 하는 겁니다. 과거에는 정법이 나오지 않아 모르는 건 믿고 빌면서 살아왔지만 이제는 그런것에 매이지 않고 무엇이든 알고 바르게 살 수 있게끔 자연에서 정법 진리를 전부다 내준 것입니다. 정법은 자연의 법칙 진리 지식을 지혜로 풀어 사람이 자연의 주파수에 맞게 바르게 사는 법을 말하는 것입니다.

#  사는 방법을 트는 것이 대체의학이다

대자연의 원리를 에너지 법칙으로 풀면
우리는 스스로 하느님을 알게 된다.
하느님은 스스로 있는 대자연의 에너지다.
그러므로 사는 방법을 트는 것은
자연에 역행하는 상식선의 방식 말고
자연을 순행하는 진리 갖춤을 말한다.

지난 과거 우리가 그동안 경험해서 알고 있는 그런 것들이
아닌 특별한 것입니다. 인간에서 사람으로 살아가야 하는
후천시대가 2013년으로 벌써 10년이 지나 갔습니다. 선천
시대는 욕심으로 살아도 되었지만 후천시대는 욕심으로 내
만 잘 되자고 살면 내가 어려움에 직면하게 된다고 합니다.
지금은 지식을 공유할 만큼 질이 높은 사회라서 공적이지
못하면 사회 기운에 역행하는 꼴이 되어 내 환경이 점점 더

나빠진다는 것입니다. 그래서 우리는 생활도 공부를 하지 않으면 안 되는 시대로 접어들은 것입니다.

이 정법은 우리 생활 속에 질문을 받아 대자연의 에너지 법칙으로 풀어 이해시켜주는 생활 법문입니다. 1952년에서 1963년생까지 베이비 부머 우리 세대는 필수적으로 꼭 해야 하는 숙명적인 과제 정법입니다.

먼저 알은 바른길을 함께하자는 의미이니까 우리 베이비 부머들 시간 날 때 점검 차원에서 아래 내용을 한번 검토해 줬으면 합니다.

지금까지 우리가 배운 지식이나 상식으로 알고 있는 무엇이든 고정시켜 버리면 다른 건 아무리 좋아도 잡을 수 없게 된다는 것입니다. 항상 우리한테는 다른 정보들이 계속 오고 있고 이것들이 쌓일 때마다 답은 또 바뀐다고 합니다. 지금의 내 알음알이는 지식의 용량이 더 들어오면 지금 내가 알고 있는 것이 또 바뀐다는 사실입니다.

오늘날 우리가 답으로 알고 있는 지식과 상식도 그러하다고 합니다. 대자연에는 원래부터 에너지 운행 원리가 있다는 것입니다 그리고 대자연의 이 원리를 에너지 법칙으로 풀면 우리는 스스로 하느님을 알게 된다고 합니다. 대자연의 에너지가 우리를 보호하는 에너지이고 이게 하나님이라고 합니다. 이 에너지는 내가 바르게 노력하면 내를 돕게

"인간" 완성을 향한 여정의 시작

되어 있지만 틀린 생각을 하고 살면 나를 도울 수가 없게 되어 있다고 합니다.

평소에 나는 옳다고 했지만 나도 모르게 쪼끔쪼끔씩 틀리게 한 것들이 어느 정도 쌓이면 문리가 일어나면서 이때 누가 어떤 역할을 하러 온다는 것입니다. 이것이 나쁜 말이 들어오고 욕이 들어오는 겁니다. 이럴 때 이거를 잘 받아먹어야지 안받아 먹고 싸우면 그다음에 더 큰 욕먹을 일이 또 찾아온다고 합니다.

이런 사람 관계 원리와 마찬가지로 우리가 살아가면서 아프지 않고 건강하게 사는 방법이 있다면 얼마나 좋겠습니까? 바로 그 방법을 검증한 결과로 이제 우리가 직접 임상실험을 한번 시도해 봤으면 합니다.

자연에서 나온 우리는 자연과 함께 건강하게 살려면 이 자연이 살아 움직이고 있음을 알고 자연에서 운행되고 있는 주파수에 내 기운을 맞추어 살면 아프지 않고 건강하게 살 수 있다는 것입니다.

우리 사람 한테는 "인기"라는 기운 에너지 질량을 누구나 다 품고 있다고 합니다. 이 기운 덩어리가 우리가 말하는 나 자신 영혼입니다. 이 영혼이 지구에서 우주가 운행되는 법칙에 같은 원리로 같이 운행되고 있다는 사실입니다. 이 것을 깨치신 분이 바로 유튜브 동영상 그분입니다. 100세

시대! 이제 중년에 들어가는 우리는 앞으로 30여 년 여생을 아프지 않고 건강하게 살려면 그러면 지금부터 스트레스를 안 받는 쪽으로 약간의 노력이 필요하지 않나 생각합니다.

우리가 스트레스를 안 받으려면 내 앞에 오는 내일을 바르게 처리하고 내한테 온 사람을 바르게 대하고 남 탓을 안 하고 살아야 스트레스를 안 받고 살수 있는 것입니다. 그런데 아직은 진짜 바른 게 뭔지를 모르다 보니까 당연히 그렇게 하지 못하는 오늘의 현실인 것입니다. 그러다 보니 내 어려움이 사실은 내 탓인데 남 탓으로 돌리고 지금도 스트레스를 받아가며 살고 있는 겁니다.

지금 말하는 바른 거는 우리가 알고 있는 상식선의 바른 것을 말하는게 아니고 자연을 거스르지 않는 바른 거를 말합니다. 예를 들면 자연의 바른법은 어떤 일이 생겼을 때 마음이 답답하고 아픈 사람이 무조건 잘못한 사람이고 환자인 것입니다. 그러니 도둑과 사기는 당한 사람이 잘못한 사람이고 환자인 것입니다. 자연의 운행법은 답답하지 않는 사람은 무조건 죄가 있을 수 없는 것입니다.

이런 식으로 생활 속에 실전 공부이고 우리가 살아가는 모든 환경의 근본을 깨치고 나를 완성해 가는 인생 마무리 공부입니다. 깡그리 폐허가 된 한반도에서 우리가 60년이 넘도록 저마다 소질로 고생하며 힘들게 살아왔지만 왜 그렇

"인간" 완성을 향한 여정의 시작

게 살게 되었는지는 아무도 모르는 것입니다.

세계 이념 전쟁을 치른 후 전후 1세대로 대한민국에 태어난 우리는 과연 누구인지? 나와 자연과 신은 어떤 관계인지? 사람의 몸은 어떻게 하면 아파지고 어떻게 하면 안 아파지는지? 인간이 생산한 지식과 말은 어떤 역할인지? 이 모든 것이 정법에서는 나를 알게 하기 위한 방편이라는 것입니다. 그리고 삶 속에 생활 지식을 지혜로 풀어 답을 내어 주는 "생활 도"라고 합니다.

인간이 오늘날까지 알은 것은 인류가 그동안 경험한 역사를 논리로 기록해서 정리한 것이고 이것을 또 더 영글게 담금질해서 발전시킨 지식을 AI 처리한 것이 오늘날에 정답으로 알고 있는 상식들이라 합니다. 이 상식들로 질량이 꽉 찬 지금 사회는 서로에게 상처를 주며 상식끼리 부딪히고 있는 것입니다. 이것이 새로운 역설로 깨우침을 일으킬 때 소통이 바르게 되어 서로의 기운을 막지 않아 스트레스를 안 받고 지적이고 영적인 교류가 스스로 일어나면서 우리는 늘 건강이 유지되고 삶이 윤택해 진다는 것입니다. 사람이 몸이 아플 때는 몸이 먼저 아프고 마음이 아파지는 게 아니고 소통이 안되어 기분이 상하면서 마음이 먼저 아프고 그다음 진행형으로 질량이 모여서 그때 몸이 아파지는 것입니다. 지금 사회를 살아가는 모든 사람들의 질문을 받아 지혜로 정답을 내어주고 있는 정법 강의입니다. 내가 어려울 때는 어떻게 살아야 하고 또 어려움이 풀렸을 때는 어떻게 살아야 되고 또 내가 지금 잘나가고 있을 때는 어떻게 살아야 앞으로 올 어려움이 안 오는지 이런 것들을 바르게 알아가는 공부가 정법 강의를 듣는 것입니다.

강의 내용 중에 혹시 지금 당장 이해 안 되는 황당한 소리는 그냥 지나가고 넘어가다 보면 나중에 다른 것들 하고 연결되어 그때 또 이해가 될 거라 생각합니다.

오만가지 질문에 답한 법문을 내가 많이 듣고 이제껏 몰랐던 새로운 지식을 많이 알아 일깨워지고 많은 것을 이해를 해서 막혔던 기운이 뚫리니까 내가 맑아지고 맑아지니까 내 영혼의 질량이 채워져 스스로 몸이 건강해지는 원리입니다. 지금 몸 안에 있는 내영혼이 나의 에너지원 태양입니다. 이 태양이 정법 진리를 먹고 제대로 빛을 발할 때 지금 시대에 활동하고 있는 모든 세포들이 활력을 되찾게 되고 몸 안에 있는 탁한 질병들은 자연적으로 소멸되게 하는 이런 식의 사는 방법을 트는 것이 대체의학이고 자연의 치유인 것입니다.

이 정법은 듣기만 해도 세상 살맛이 나고 하루하루 갈수록 삶의 의미가 점점 또렷해집니다.

우리 베이비부머들 먼저 알은 길을 함께 나누었으면 하는

거니까 오늘부터 한 번 시도 해 보십시오. 색다른 희망과
용기가 틀림없이 생길 것입니다.

제5장

정법 키워드
마스터 모음 3-1

# ◆ 갑을 관계 / 깨달음

윗사람 갑이 아래 사람 을을 존중해야 한다 을이 없으면 갑이 없기 때문이다. 상황에 따라 갑을 관계를 알아야 인생이 편하다. 지금 상황이 내가 갑인지 을인지 알고 행동해야 한다. 갑을 관계는 그때그때마다 바뀐다.

항상 우리한테는 갑을 관계 환경을 가지고 온다. 누구든 어떤 관계든 똑같은 경우는 없고 항상 갑을 관계로 만나게 되어 있다.

갑은 을을 도우면서 살면 인생이 절대 안 꼬인다. 을은 갑에게서 도움을 받아 성장할 의무만 있고 힘이 없기에 갑을 도울 수 없고 도울 의무 또한 없다. 갑은 항상 을을 도와주어야 할 의무를 가지고 있다.

갑을 관계는 그렇게 살지 않으면 인생이 힘들어진다. 선배는 후배를 위해 기본 의무를 행하고 가야지 안 그러면 올라갔더라도 얼마 안 가 끌어내려 버린다. 윗사람은 항상 그 밑의 아랫사람을 위해서 사는 것만이 의무가 되는 것이다.

--------------------------------------------------

"인간" 완성을 향한 여정의 시작

깨달음에는 두 가지가 있다. 나의 모순을 깨달은 것과 타의 삶을 사는 것이 내 삶이라는 것을 깨달은 것이다.

내한테 그런 것이 성장하고 있기 때문에 그런 것이 보이고 있는 것이다. 안 좋은 일이 일어날 때는 깨달아라고 하는 것이다.

내가 잘못 없이는 0.1미리도 내한테 어려움이 안 온다. 우리가 뭐가 잘못되었을 때는 어떻게 그렇게 되었는지 그것에 대한 환경을 먼저 찾아 보아야 한다.

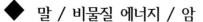

# ◆ 말 / 비물질 에너지 / 암

말은 내 영혼에서 울림 진동이 일어나 기운이 뿜어지고 운동력이 발생하여 기관을 거치면서 질로 변해서 그 파장이 입으로 나오는 게 말이다.

사람의 말은 눈으로 보고 귀로 듣고 경험을 해서 얻은 지식이 내 영혼으로 들어가 압축되어 말이 생산된다. 사람이 내한테 해주는 말은 근본을 치료하는 영약이고 명약은 물질로 만든 약으로 임시방편 용이다.

지금 사회 사람의 말은 최고의 힘이고 에너지이다. 말의 힘이 지식의 힘이고 이해를 시킬 수 있는 능력이다. 말은 상대에게 용기도 주고 상대를 꺾을 수도 있다. 내가 말로 상대를 꺾었을 때는 이 기운이 내한테 차고 들어온다.

내가 말을 했는데 상대가 이해를 못 해 갑갑해진다면 내가 잘못한 것으로 이것이 반복되면 내가 아파지는 것이다. 누구든지 존중해야 한다. 사람 존중 속에 내 힘은 스스로 만들어진다. 내가 말하는 대로 몸이 변해 가고 몸이 변하면 내 주위 환경이 변한다.

"인간" 완성을 향한 여정의 시작

말을 할 때와 들을 때 구분은 내가 갑이면 말을 해도 되고 지금 을이면 들어야 한다. 말에서 실력이 나온다. 결과가 안 좋으면 입을 닫아야 하는 것이다.

말을 같이 나누면 좋아지고 가르치려 하면 떠난다. 사람이 아픈 건 말을 안 들어서 아파진 거다. 남편이 아프면 아내 말을 들어야 하고 아내가 아프면 남편 말을 들어야 낫는다. 남편은 아내 말을 존중하면서 들으면 정답을 내어 줄 수 있어진다.

말을 들어라고 지금 계속 아프게 해 놓은 것이다. 이제는 말이 법이고 말이 나의 인생을 만드는 말의 질량이 적용되는 시대이다.

자연은 말로 축원할 때 움직이고 말 안 하면 가만히 있다. 사람이 하는 말 한마디 한마디는 지금 자연에 부딪히고 있는 것이다.

\------------------------------------------------

비물질과 물질이 공존하는 이것이 대자연이다. 비물질 에너지가 물질 에너지를 움직인다. 비물질 원소가 탁해져서 천기인 암흑물질을 움직였다.

비물질은 영혼, 이념, 지식, 생각, 말, 걱정, 염원 등의 에너지를 말한다. 걱정을 자꾸 하면 걱정할 일이 또 생긴다. 우주에 비물질 에너지를 생산해 내는 것은 오직 사람이 하는 말뿐이다. 이 말은 세상의 오염 중에 최고의 오염이다. 말을 잘못하면 병이 오고 말을 잘하면 병이 낫는다.

그리고 상생은 서로가 말을 이해되게 주고받아 소통을 잘하는 것을 말하고 정신적으로 에너지를 주고받는 교류를 말한다.

----------------------------------------------

암은 왜 오느냐 하면 말이 하나하나 모여서 내 세포를 힘을 못쓰게 해서 면역력을 떨어뜨리면 세포가 변이 되어 암이 온다.

암이 걸려 산에 간 사람은 사람한테 말을 안 하니까 사람들을 기분 나쁘게 안 해서 돌아오는 게 없으니까 내 몸이 회복되는 것이다. 사람을 잘 대하고 살면 몸에 병이 오지 않는 것이 이 원리다.

지구촌은 부익부 빈익빈에서 전쟁이 일어나고 인간의 몸의 부익부 빈익빈은 최고조로 좋아지는 쪽으로 가다 보면 어느 부분은 최고로 나쁜 쪽이 나오고 여기서 중간 위치에 암이 생기는 것이다.

"인간" 완성을 향한 여정의 시작

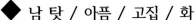

# ◆ 남 탓 / 아픔 / 고집 / 화

지금 남 탓하고 남 욕하는 것은 한 달 후에 아플걸 지금 만들고 있는 것이다. 우리는 남을 탓하고 안 하고 기준으로 어려워지고 좋아지고 한다.

불평불만은 내 질량을 잡아먹는 최고의 바이러스다. 똑똑한데 모르니까 불평불만을 해서 어려워지고 그다음 남 탓하게 되고 그다음 자빠져 환자가 된다. 환자는 무조건 공부를 해야 벗어난다.

불평불만은 항상 내 질량을 떨어뜨리고 있어 나 때문에 내가 그 환경을 겪고 있는 것이지 남 탓할 일은 단 한 가지도 없는 것이다.

\-\-\-\-\-\-\-\-\-\-\-\-\-\-\-\-\-\-\-\-\-\-\-\-\-\-\-\-\-\-\-\-\-\-\-\-\-\-\-\-\-\-\-\-\-\-\-\-\-\-\-

사람이 아픈 것은 근기가 약한 자가 욕심으로 엉뚱한 짓을 해서 몸이 아파지는 것이다. 몸이 아프면 제일 먼저 남의 말을 들어 말 에너지를 먹어야 한다. 고집 안 부리고 자꾸 듣다 보면 누가 내한테 필요한 것을 갖다 준다.

남을 쪼끔 아프게 했다면 그 아픔이 내한테 차고 들어 오고 남을 어렵게 했다면 그 어려움도 나한테 돌아오는 것이다. 내가 잘못한 일이 있다면 그 잘못을 뉘우칠 수 있도록 그 일이 내한테 아픔으로 다가온다.

내가 아파진 것은 내가 잘못이 있어 아파진 것이다. 내 잘못 없는데 내가 절대 아파지지 않는다. 아픈 것은 지금 벌 받는 것이다. 벌 받으면 내가 겸손해져야 되고 잘못을 뉘우쳐야 된다. 그래야 다음에 아픔이 안 온다.

영혼의 질량이 부족하면 육신을 운영을 못해 아파지는 것이다. 아픈 건 마음이 아픈 게 아픈 것이다. 먼저 생각이 꼬이고 생각이 잘못되어 그 생각 때문에 그 음식을 먹게 된 것이고 그래서 그 음식으로 너의 몸이 아파지게 된 것이다. 앞으로 인간이 전부 아파진다. 지식을 먹었기 때문에 그렇다. 남을 기준으로 두고 사는 방법을 틀어야 한다.

아파지는 원리는 두 가지가 있다. 나태해서 아픈 경우와 고집이 세서 아픈 경우이다. 쪼끔씩 쌓인 게 모아져서 어느 날 아픔으로 표현된다. 아픔이 온 것은 깨우칠 기회가 온 것이다. 우리는 끊임 없이 변화해야 탈이 안 난다. 멈춰 있으면 병이 안식처로 찾아 든다.

-------------------------------------------------

그것이 옳은 줄 알고 일관되게 생각하고 말하고 행동하는 이 고집이 아픔으로 병원 가는 것이다. 몸이 많이 아픈 사

람은 고집불통인 사람이다. 너의 고집을 꺾기 위해 아픔을 주고 어려움을 주어 공부를 시키고 있는 것이다.

남을 깜보고 무시하고 잘난체하는 이 고집이 세면 지켜보고 있다가 언젠가부터 너를 길들이기 시작한다. 고집이 세면 어려움을 자꾸 만들어 준다. 숨 쉬는 것도 만들어 준다. 고를 푼다에 고 집착은 내 영혼의 고집을 푸니까 몸도 환경도 좋아지는 것이다.

--------------------------------------------------

사람이 성을 내면 트러블이 일어나 피의 질이 바뀐다. 성냄을 하지 말라는 안 되는 것이고 내 질량을 키우면 저절로 성냄이 없어지고 화가 나지 않는다.

똑똑한 사람이 실력이 없어 해결 못하면 화를 낸다. 못남의 극치다. 똑똑한 사람이 실력을 갖추면 똑똑하지 않게 되고 실력을 못 갖추면 날뛰게 된다.

화를 안 내려면 내가 얼마나 못났는지를 깨쳐야 한다. 최고 똑똑한 놈이 최고 등신이다. 자연에서 준 만큼 더 노력하고 성실해야 보석이 되지 그렇지 않으면 잘 난 게 최고 못난 것이다.

# ◆ 원죄 / 신앙 종교 / 인연법

원죄는 우리 원소가 원 대자연 몸체 안에 세포로 있을 때 스스로 지은 죄를 말한다. 이 원소가 원 대자연을 운용하는 주체로 운용을 하면서 서로가 상생으로 운행하지 못하고 미세하게 오류를 일으키면서 조금 조금씩 역행하기 시작하였다.

이것이 서로에게 스크래치 크랙을 생성시킨 원인인 것이다. 이 크랙이 흠집으로 단초가 되어 탁해지기 시작하였고 억업년이라는 수 없는 시간 동안 탁해진 30% 에너지가 원죄가 된 것이다.

스스로 지은 이 원죄를 씻고 우리 원소들을 맑히기 위해 대자연에서는 3 대 7의 원리를 작동 시킨 것이다. 70% 맑은 에너지는 천상에 그대로 있게 하고 탁해진 30% 에너지는 떨어져 나오게 해서 소우주인 지상에 가서 내를 맑혀서 다시 돌아오라고 쫓아낸 것이다.

---------------------------------------------

신앙은 종교가 아니고 종단이다. 신에게 빌고 매달리며 복

"인간" 완성을 향한 여정의 시작

을 기대하는 것이다. 종교는 아직 이제 세상에 나오고 있다. 종교는 세상 논리를 다 흡수한 큰 법으로 최고 높은 거를 가르치는 진리를 말한다.

----------------------------------------

인연법으로 시작해서 모든 것이 얽히고설켜서 환경이 나빠지는 것이다. 인연을 잘못 대한 것이 누적되어 모든 일이 일어난다. 내 모지램은 내한테 오는 인연으로부터 일깨워지는 도움을 받아야 한다.

인연은 혈연 인연, 형제 인연, 친척 인연, 사회인연으로 자연에서 의무를 행 하라고 주지만 가족이 되는 것은 우리가 살면서 노력을 바르게 했을 때 가족이 만들어지는 것이다. 부부는 노력 속에 지천명 50세가 넘어야 비로소 부부가 될 수 있다.

# ◆ 공부 환경 / 진리 공부

우리가 공부를 잘못 알은 것이다. 공부는 내 앞에 준 환경을 흡수하고 보이고 들리는 것을 흡수하는 것이 진짜 공부이다. 내한테 맞는 필요한 말이 왔구나 해서 받아먹어야 한다. 모든 것은 지금까지 공부로 환경을 준 것이다. 공부를 하는 사람은 자연이 지켜주게 되어 있다.

성인은 이해하는 공부이다. 이해하면 다스릴 수 있다. 우리는 사람을 만나고 사는 자체가 공부하는 것이고 지금 사회의 소통은 정법 공부하는 것만이 같이 소통할 수 있다. 공부하면서 활동하면 천신이 항상 돕게 되어 있다. 어떤 것도 피해 갈 수 있도록 장막을 다 쳐 준다.

모든 것은 소유하라고 준게 아니고 환경을 준 것으로 공부 잡아라고 하는 것이다. 자연의 흐름으로 세상은 나를 성장시키기 위해 인연을 방편으로 공부 환경을 주고 있다. 어렵지 않고는 절대 정법 진리를 만날 수 없다. 나를 공부하라고 어렵게 해 놓고 공부하라고 아프게 해 놓는 것이다. 공부라는 건 내 영혼에 질량을 채우는 것이다. 하늘 공부를 하고 나면 땅에서 일어난 모든 일이 정리가 된다. 정법 공부를 하면 병원 가는 것부터 없어진다.

내가 이 공부가 다 되었으면 절대 이 말을 듣지 않는다. 나를 공부시키기 위해 지금 그 상황을 보여주고 있고 공부가 다 되고 나면 나는 그런 상황을 안 보게 된다.

------------------------------------------------

제도권 안에 공부는 완전 기초를 공부 한 것이고 사회 공부 사람 공부가 진짜 공부이다. 인성교육은 바르게 사는 원리를 공부하는 것이다. 진리 공부는 그냥 재미있게 듣기만 하면 된다. 아! 오늘은 이걸 가지고 공부 잡으라고 하는구나! 앞으로는 나를 돌아보고 나를 고치는 공부를 하지 않으면 오만가지 방법으로 어려움이 온다.

잘못 살은 게 뭔지 찾는 게 정법 진리 공부이다. 내상식으로 싸우지 말고 자꾸 듣고 흡수하여 내 질량이 올라가면 싸우지 않게 된다. 분별은 나의 현재 질량만큼 분별하지 더 이상은 못한다. 공부를 해서 질량이 높아지면 높아진 데서 분별한다. 이해를 했으면 공부가 된 것이고 공부되면 내가 힘이 커진다. 정법 강의를 들으면서 뭔가를 알고자 할 때는 내한테 어려움이 오지 않는다. 정법을 듣는 것은 내 영혼의 양식을 먹이는 것이다. 지식은 육신이 전달해서 내 안에 영혼이 먹는다. 영혼이 주체이고 육신은 연장이다.

# ◆ 생각 / 맑음 / 욕심

우리가 하고 있는 생각이 염력이다. 지금 시대는 생각이 사회를 위해 일을 해야 하고 생각이 사회 공부하러 나와야지 돈 벌려고 나오면 힘들고 어려워진다.

나의 사적인 것을 놓고 공적인 생각을 해야 잘 살아진다. 사람을 이롭게 하는 활동을 하러 나오는 사람은 잘 되지만 돈을 벌려고 나오면 무조건 망하는 쪽으로 가게 된다.

내가 바르게 노력하면 나를 돕게 되어 있고 틀린 생각을 하면 너를 도울 수가 없게 되어 있다. 내 생각이 바른 줄 알고 하지만 자연에 바른 게 아니면 나중에 반드시 문제가 생긴다.

내 생각이 상대 생각을 바꾸게 하는 것이고 내 생각이 나의 현실을 만들어 나를 잘 살게 한다. 내 생각이 어떠하냐에 따라 저 사람이 변한다. 자연은 사람이 어떻게 생각하느냐에 따라 환경이 변한다.

-------------------------------------------------

지금 아는 걸 답이라고 생각하는 자체가 모순이다. 정법으

184                 "인간" 완성을 향한 여정의 시작

로 많이 알면 사람을 의심을 안 하게 되고 의심을 안 하면 내가 기운이 맑아진다. 내를 맑혀 놓으면 좋은 인연도 오고 분별력이 높아진다. 사적인 생각을 놓는 것 이것이 나를 맑히는 것이다. 맑은 에너지 질량을 만드는 존중, 겸손, 행복, 기쁨, 즐거움, 사랑, 상생, 존경, 감사, 긍정, 평화, 포용은 후천에 이루어야 할 단어들이다.

생각이나 하는 행위가 잘못되면 피부에 영양공급을 해 놓아도 시간만큼만 되고 또 잘못된다. 피부는 사람이 하는 행위가 잘못되면 표시가 난다. 사람이 피부가 좋게 해 주려면 마음이 다치지 않고 편안하게 맑게 해주면 피부는 저절로 좋아진다.

내가 자꾸자꾸 맑아지면 탁한 사람들은 내 앞에 오지 않는다. 맑은 사람들이 많이 오고 탁한 사람은 가끔씩 공부시키러 온다.

---------------------------------------------

인간이 어려운 것은 욕심 때문이다. 이 욕심을 놓을 수 있는 것은 공적으로 살 때 놓아진다. 뭐든지 요긴하게 잘 써야지 욕심으로 쓰면 망하게 된다. 그런데 문제는 진리 지식을 안 갖추면 반드시 욕심을 내게끔 되어 있다.

남을 미워하는 것은 나의 부족함을 보여주는 거울이다. 미워하는 마음이 들거든 오히려 나 자신을 반성하고 부끄럽게 생각해야 한다. 남을 미워하는 것은 내 멋대로 하고자 하는 욕심에서 비롯된다. 지금은 욕심내면 다 걷어가는 시대인데 정법 공부를 안 하면 누구든 욕심을 낼 수밖에 없다.

욕심을 내는 것은 자연과 싸우는 것이다. 남의 인생을 내 멋대로 못해가 성내는 이것이 최고로 큰 욕심이다. 왜 그러느지 내 실력을 갖춰 그 사람을 이해를 잘 시켜줄 수 있어야 한다. 욕심이 없으면 절대 상대가 미워지지 않는다.

사기를 치는 것은 욕심내는 나를 일깨워주려고 하는 행동이고 역할이다. 욕심내는 그 순간부터 자연은 너를 발전시키지 않는다. 우리는 내 모순 속에서 욕심을 내고 이것이 집착이 되어 죽으면서 한이 맺힌다.

돈을 많이 가지려는 것은 욕심이 아니다. 더 큰일, 훌륭한 일을 할 수 있는 재료를 갖는 것이다. 아무리 많이 배웠어도 어떤 것에 욕심이 앞서면 급 단순 무식해진다. 욕심을 낸다는 것은 무엇인가 조금 모자란다는 말이다.

욕심을 내는 순간 눈을 가려 그동안 갖춰 놓은 유식함도 닫히고 무식한 행동을 하게 되어 그만큼 교만해진다.

"인간" 완성을 향한 여정의 시작

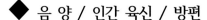# ◆ 음 양 / 인간 육신 / 방편

빅뱅이 일어나기 전 원 대자연에는 천기 암흑 물질이 스스로 운행되고 그 안에 원소 에너지가 있다. 자연의 음과 양은 암흑물질이 음이고 그 안에 세포같이 존재하는 원소 에너지 비물질이 양이다.

빅뱅으로 천과 지가 창조된 후 음양을 구분하면 무한 대우주 천상이 음이고 유한 소우주 지상이 양이다. 우리 태양계는 달이 음이고 태양이 양이고 지구에는 바다가 음이고 산이 양이다. 그리고 인간은 여성이 음이고 남성이 양이다.

--------------------------------------------------

은하계가 수십억 년을 운행한 목적은 오직 우리 인간 육신을 만들은 것이다. 동물에는 없는 육천 육혈 기문이 있는 인간 몸을 만들어 내려고 우주가 수십억 년 동안 지구가 운용되었다. 우리는 자연으로부터 에너지를 3가지를 받아야한다. 햇볕, 음식, 지식에 포함된 말과 환경이다. 과학에서 모르는 지구로 들어오는 미세한 에너지를 포함한 빛과 산소가 있고 육신을 보존하는 음식이 있고 최고 중요한 내 영혼

이 흡수해야 하는 양식으로 보고 듣는 것이 있다. 거부하지 마셔야지 거부하면 거부한 만큼 질량을 못 받는다. 영혼의 질량이 부족하면 육신을 운영을 못해 아파진다.

태아 육신은 엄마 생각의 질량만 한 육신을 만든다. 임신을 하고 100일이 되면 영혼이 점지가 되는데 100일 동안 육신이 만들어진 질에 맞게 영혼을 점지한다.

인간 육신은 분해되는 물질이 상호작용으로 뭉친 70%이고 영혼은 분해가 안되는 30%라 비중이 상당히 크다. 우리 육신은 자연의 영체로 만든 것이다.

사람의 육신은 맑은 기운 30% 탁한 기운 30% 스스로 운행되는 기운 40%가 같이 운행된다. 이 육신은 지식을 전달하는 목적이고 연장이다.

----------------------------------------------

인간 영혼 성장에는 시기별 필요한 방편이 있다. 0세에서 21세 까지는 키우는 시기이고 22세에서 29세 까지는 아직 경제 힘이나 돈을 요청할 때 부모가 조건을 제시 하면서 잘못 키운 버릇이나 습관을 바로잡는 시기이다.

30세에서 39세 까지는 혼자서 사회 공부를 하는 시기이고 40세에서 49세 까지는 자연의 면접시험을 보고 정리하고 인연과 신용을 정비하는 시기이다. 그리고 50세에서 86세 까지는 갖춘 힘과 실력으로 내 인생을 펼치는 시기이다.

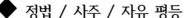

## ◆ 정법 / 사주 / 자유 평등

태초 이래 인류 역사는 수많은 방편들과 오만가지 모순들을 빚어 내었고 인류는 엄청난 희생과 윤회를 거듭하면서 온갖 근기와 지식의 질량을 축적하고 진화 발전했다.

정법은 인류와 차원계의 모든 영혼들까지 자신의 역할을 제대로 하게끔 인도하는 지침서이다.

선천 시대의 기나긴 모순의 역사를 2012년에 마감하고 이제 그동안 생산해 왔던 모순들을 재정립 대통합하는 후천 시대가 도래하였다.

정법은 이제 사람이 주인이 되어 천지창조로부터 원시 판본에 이르기까지 대자연의 법칙과 인간의 총체적인 삶에 대한 전반적인 모순과 해결책 그리고 우주와 과학에 이르기까지의 모든 분야의 궁금증을 풀어내는 상식을 깨는 진리의 법이다. 천공 스승님의 정법 강의는 천지 아래 무엇이든 풀리지 않는 모든 분야의 궁금증을 즉문즉설로 명쾌하게 풀어 주고 있다.

-------------------------------------------------

지금은 사람을 이해하는 만큼 힘을 가지는 때가 된 것이다. 내 힘은 직위를 갖추는 것과 경제와 모지레는 지식을 갖추는 것이고 사람을 더 사귀어 놓는 것이다.

사람마다 가지고 오는 사주는 상층, 중층, 하층, 사주로 3 단계로 구분된다. 그렇기 때문에 질량을 맞추어 합의를 봐야지 요구는 할 수 없는 것이다. 각 층마다 생각하는 질량도 다르고 자유도 다르다.

중산층은 경제가 중간이 아니고 생각의 질량 사고가 중간인 지식을 갖춘 사람을 말한다. 세상에는 나이 많은 사람이 있고 상대에게 이로운 일을 하는 실력이 높은 윗사람이 있다. 그리고 부자가 되면 안 되는 사람이 있고 성실하게 살아야 되는 사람이 있다. 또 뭔가를 이루어야 되는 사람도 있다. 그리고 또 가난하게 살아야 되는 사람이 있고 부자가 돼야 되는 사람이 있고 지식인 삶을 살아야 되는 사람이 따로 있다. 자기 질량 크기에 맞는 역할이 있는 것이다.

-------------------------------------------------

자유는 내가 하는 일이 보람되고 즐거울 때 얻는다. 일하는 것이 구속이 아니다. 자유는 갖춘 만큼 자유를 얻을 수 있고 자유를 누릴 수 있다. 누구든지 평등하다는 것은 누구든지 자기 자리에서 할 수 있게 해 놓았다는 것이다. 전부 다 똑같이 되는 게 평등이 아니라는 말이다.

"인간" 완성을 향한 여정의 시작

# ◆ 수행 이념 / 운행 법칙 / 하느님

내 주위에 주는 환경을 흡수하고 불만하지 말고 쓸어 담아 갖추어 내 모순을 찾아 지우는 게 수행이고 생활도이다. 수행은 내가 어려움을 당하면 해야 되는 게 수행이고 사는 자체가 수행이라 하고 안 하고 가 안된다.

평소에 내가 행동하고 말하는 하나하나가 내 삶에 직결되고 있다는 사실이다. 앞으로 가면 갈수록 이념을 맞추어야만 같이 살아갈 수 있는 이념시대가 온다. 왜 사는지 모르면 항상 고프다. 명분과 이념은 자연의 기운을 당긴다.

나를 자성하고 깨우칠 때 모든 것을 풀어준다. 살아 보겠다는 이념이 없으면 짐승같이 살아야 되는 후천시대가 되었다.

재단을 설립해서 이념을 심어 후배들에게 넘겨주고 후배들이 이 이념을 행하니 내가 계속 이어지는 것이다. 이념을 물려주는 것이 유산이고 이 유산에 따라가는 것이 돈과 재물 환경이다.

모든 것은 성장을 위해 노력을 30% 하고 형성 다짐으로 이념을 10% 잡아서 그다음 이루는 팽창을 30% 더해서 70% 완성이고 마지막 단계는 지혜로 운영을 30% 잘 해서 100% 성공하는 것이다. 지금 시대가 운영 30% 시대다.

3대 부자 없다는 1대가 이념을 세워 진로를 놓는 30%를 성장해서 2대에게 이 이념을 넘겨주면 2대는 형성 10% 동안 이 이념을 잡아서 그 힘으로 30% 팽창을 이루어 70%를 완성한다. 그리고 홍익 이념과 이룬 경제를 3대에게 물려주면 3대는 이 이념을 놓지 않고 사회적으로 잘 운영해서 하늘의 힘 지혜를 얻어 사람을 널리 이롭게 하는 빛을 내어 존경받는 100%를 완성하여 성공하는 것이다.

그런데 2대가 1대한테 물려 받은 그 이념을 행하라고 평창을 30% 하는 힘을 내려 준 것인데 30% 팽창하는 동안 욕심으로 물질에만 집중하다 보니까 막바지에 2대가 그 이념을 놓치고 잊어 먹은 것이다.

그래서 3대에게 속 알맹이 이념 유산이 없는 껍데기 물질 유산만 넘겨주니까 공의 명분으로 힘이 실리지 않아 3대째는 100% 망하게 된 것이다. 그동안 자연에 이원리를 깨치지 못해서 수천 년 동안 망해 온 것을 두고 3대 부자 없다는 우리 속담으로 전해져 왔다.

------------------------------------------------

인류 운행 법칙이 대자연에는 3 대 7의 법칙으로 운행된다.

대자연은 나의 선생님이다. 인간을 위해서 자연이 운용되고 있고 운용체를 갖고 있는 게 우리 인기 영혼들이다. 자연은 우리 부모이고 자연 안에 우리는 세포이다. 이런 일이 오는데 너는 어떻게 할래? 자연에서는 항상 묻고 보고 있다.

포용할 때 내 질량이 갖추어지고 자연에는 도와줄 걸 모아가 주려고 카드 포인트 같이 자꾸 쌓아 적립해 주는 게 있다.

----------------------------------------------

인간한테는 너를 성장시키려고 자꾸 미션이 들어온다. 대자연의 원리를 에너지 법칙으로 풀면 하느님을 스스로 알게 된다. 천기 안에는 물질 에너지가 있고 비물질 에너지 원소가 있는데 이게 우리이다. 그리고 우리를 보호하는 대자연의 에너지가 있는데 이것이 하느님 천기이다. 우리 몸은 하느님으로 만든 것이다.

하느님은 어떤 존재가 아니고 신도 아니다. 천지 대자연의 에너지 기운이다. 상대가 아니다. 신은 우리 영혼 신이 신이고 영혼 신만 있는 것이다. 이 신들을 맑히고 교육하기 위해 우리가 지금 지구 교화소에 와 있다.

제6장

정법 키워드
마스터 모음 3-2

# ◆ 선천 시대 / 후천 시대 / 환경 공부

인류는 원시시대를 지나 논리 시대 끝날 무렵이 30%가 진화된 것이다. 이때 이념을 세워 이 힘으로 지식 시대가 60%까지 진화이고, 마지막 상식 시대 10%가 더해지면서 2012년 70%까지 다 온 것이다.

시대를 맞이해서 선천 시대를 사는 것은 천지창조 때부터 2012년까지 사도 시대를 살았다. 사도 시대는 준비 과정으로 모든 모순을 빚어내고 윤회하며 성장하고 지식을 갖추는 시대를 말한다. 이것은 정의 시대를 열기 위해 사가 필요했던 것이다.

----------------------------------------------

후천시대 2013년부터는 진화 발전이 완성되고 모든 모순의 해답이 열리고 서로 상생하며 원시 반본 하는 때까지 운용하는 평화의 법치 시대를 말한다. 그리고 공적으로 살아가면서 빛을 이루고 모두가 해탈하며 자신을 불태워 사람을 널리 이롭게 하는 홍익 삶을 사는 시대를 말한다.

이제 후천시대를 맞이한 것이 30%가 남았는데 이때를 정

"인간" 완성을 향한 여정의 시작

법 시대라 한다. 인간에서 사람으로 사는 진리 시대가 100% 완성을 향해 미래를 열어간다. 바른 법으로 모순을 정리하고 지적인 삶을 살아야 하기에 여성 상위가 지혜로 운용하는 시대이다.

자연의 섭리는 우리 인간을 성장시키고 있고 인간을 항상 잘 되는 쪽으로 관리하고 있다. 교류하면서 공부하는 것도 내 영혼의 질을 좋게 키우려 하는 것이고 인연을 주는 것도 의무를 다 해서 서로의 빚을 갚아라고 주는 것이다.

지금은 누구든지 어려움이 오게 되어 있다. 돈이 많은 사람도 없는 사람도 잘생긴 사람도 못생긴 사람도 누구든지 과거에 배운 걸 가지고 살기 때문에 어려움은 오만가지 방법으로 다 온다.

그리고 지금은 내 옆에 사람이 신이 되어 있어 갑질은 절대 용서가 안되는 시대이고 겸손을 중요시 여겨야 하는 시대가 되었다.

------------------------------------------------

오늘 환경을 직시 못하면 지식을 갖추지 못한다. 나의 지식은 지금 내 앞에 환경에서 갖추는 것이다. 사람은 내 환경이 내 재산이다.

지금은 사회를 위해서 일을 해야 하고 사회적 삶으로 살아야 내가 잘 살아지는 시대다. 자연에는 생활의 바른 법칙이 있다. 이 법칙에 역행하면 어려워지게끔 세팅을 그렇게 해 놓았다.

그래서 자연의 법칙에는 남이 잘못한다가 없다. 사람은 모르면 잘못하고 잘못하면 어려워지고 어려워지면 아파진다. 모르면서 아는 모순을 잡는 것과 병을 잡는 것은 한꺼번에 잡아야 한다.

오늘 환경이 다가오는 것은 나를 지식을 갖추라고 다가오는 것이다. 이걸 받아들이는 노력을 해야 한다. 그 환경 공부를 안 하면 하라고 끝까지 그 자리에 묶어 둔다.

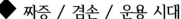# ◆ 짜증 / 겸손 / 운용 시대

물은 무조건 많이 먹어야지 적으면 성격이 급하고 화를 잘 내고 짜증이 많다. 내 한 사람의 짜증은 사회에 안 좋은 기운을 생산하는 것이다. 이게 모이면 내한테 돌아와 내가 어려움을 맞이한다.

뭔지는 모르지만 쪼끔쪼끔씩 잘못한 것이 쌓아와서 압이 차면 나도 모르게 어느 날은 짜증이 많다. 이 원리를 알고 평소에 내 앞에 사람을 존중하고 나의 모순을 찾아 고치는 노력을 하면 차인 압이 거꾸로 빠진다.

불평하고 짜증 내면 견디는 면역력이 뚝뚝 떨어진다. 기온이 갑자기 떨어지면 감기든 것과 같은 원리다. 감기는 인간이 막을 수 없는 것이고 주기적으로 들어오게 되어 있어 내 면역으로 물리쳐야 한다. 감기는 소고기를 먹으면 면역에 도움이 된다.

----------------------------------------

겸손은 위에서 아래로 하는 것이다 능력이 없으면 겸손할 수가 없다. 능력이 있어야 겸손할 수 있다. 지극히 겸손할

때 보살펴 준다. 공부하는 사람과 겸손한 사람은 자연에서 보살펴 준다.

아랫사람은 윗사람에게 겸손하는 게 아니고 있는 데로 하고 윗사람을 존경해야 한다. 겸손하려 들지 말고 상대를 존중하고 이해해 줘야 한다. 예의를 잘 갖추어야 그래야 손해를 안 본다.

어디 이사를 가면 아는 척도 잘난 척도 도우려고도 친하려고도 하지 말고 거기를 배우려고 노력해야 한다. 사람을 만난다 라기 보다 그 에너지를 만나는 것이다.

과거와 달라진 건 열심히 노력해서 이루려 하기 보다 현재 주어진 것을 잘하고 내 앞에 오는 것을 잘 받고 하고 싶은 것만 재미있게 하고 있으면 된다. 하기 싫은 걸 억지로 하면 사고 나는 운용 시대이다.

앞으로는 모순을 정리하는 시대다. 사람도 돈도 질량이 안되면 전부 다 걷어 간다. 지적으로 운영하지 못하고 여차하면 망하는 시대이다.

혼탁한 이런 걸 바로잡기 위해 이 시국이 돌아가고 있다. 아닌 척하는 거 다 끌어내는 시기이다. 입다물고 있거나 질량 있는 공부를 해서 실력을 갖추면 뺏기지 않고 어려움이 안 온다. 이 자연 지식이 얼마나 소중한지 시간 지나 보면 안다. 순식간에 세상이 달라질 때가 온다.

"인간" 완성을 향한 여정의 시작

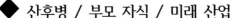

# ◆ 산후병 / 부모 자식 / 미래 산업

산후병은 자식이 내 자식이 아니고 행해야 하는 의무를 부여받은 것이다. 자연의 자식인 줄 모르고 생각이 내 자식으로 끌어안으니까 삼칠일이 지났는데도 깨치지 못하고 끌어안고 있으니까 신이 산모 몸을 추스려 주고 가야 하는데 그냥 가버린 것이 산후병이 수천 년 동안 있은 것이다.

-------------------------------------------------

인간은 내가 필요 없으면 안 온다. 자식도 부모도 똑같다. 사람은 자기가 필요해서 가까워진다. 자식은 행해야 할 의무가 있어 혈연 인연으로 온 것이다.

부모는 자식을 위해서 존재하지만 자식은 부모를 위해 존재하는 게 아니다. 자식한테 걸려있는 문제를 보여주는 것은 지금 너의 사고를 틀어 라고 보여주는 것이다.

내가 나를 똑바로 살기를 노력을 하면 내 자식은 하늘에서 돕는 게 자연의 법칙이다. 자식한테 신경 쓰지 말고 내 인생에 충실해야 한다. 부모는 자식을 욕심내면 아픔이 오고 아끼면 사랑이 온다.

다 큰 자식은 30%만 뒷바라지해 주고 내 할 일을 찾아
해야 한다. 만약 내 할 일을 안 하고 자식한테 40% 뒷바라
지하면 10%는 내 아픔으로 돌아오고 50% 뒷바라지하면
20%가 내 아픔으로 돌아온다.

------------------------------------------------

대한민국 미래 산업은 영화교육사업, 금융 사업 문화콘텐츠
개발연구 사업, 정신 사업, 인성 교육 관광사업, 인류 대민
사업이다. 총체적으로는 교육사업과 복지사업 두 가지다.

"인간" 완성을 향한 여정의 시작

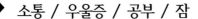 **소통 / 우울증 / 공부 / 잠**

사람의 소통은 영혼끼리 서로 에너지를 주고받는 말을 하는 것이다. 한단 위에 공부를 같이 할 때 진정한 소통이 일어난다. 우리는 우리만 사는 게 아니고 항상 신들과 같이 작용하면서 동시에 살고 있다.

사람은 내한테 준 인연들 하고 소통을 잘하고 재미있게 지내고 있으면 절대 귀신이 침범을 못한다. 1신과 1신이 교류를 잘 하고 있으면 타신이 못 들어온다.

아이를 고치려면 부부가 웃는 모습을 많이 보여주며 잘 지내고 있어야 한다. 그렇지 않고 빙의 아이를 고치려고 달려들면 더 틀어진다.

-------------------------------------------------

총체적인 학을 하면 사람을 바르게 대할 수 있어 항상 소통이 편하고 우울하지 않게 된다. 사람은 우울하지 않게 사는 게 면역성이다.

물이 필요할 때 물을 먹어야 되듯이 우리가 지금 까깝한 것은 영혼이 필요한 진리를 먹어야 죽고 싶은 병 우울증이 사라진다. 내 옆에 사람과 소통이 안되면 까깝해지고 까깝해지면 외로워지고 그다음 우울해지면 귀신이 들어온다. 이것이 오래 반복되면 빙의가 된다. 자연의 근본 지식을 아는 게 이만큼 중요한 것이다.

지금은 자신의 모순을 찾아 공부를 할 때이고 정법을 알아야 내 모순을 찾을 수 있다. 우리는 말이나 행동을 잘못했을 때는 3일 이내 자연에 취소할 수 있다.

지금 내 눈에 자꾸 보이는 것은 거기에 내 공부가 있다. 나의 분별로 상대를 평가하지 말아야 한다. 진리 공부는 똑똑할수록 공부가 늦어진다. 사람을 공부하듯이 대하면 그러면 내 모습이 달라진다.

지금은 누구든 오만 분야에서 공부하고 있는 중이다. 대한민국은 모두가 교육장이다.

------------------------------------------------

양의 기운이 도는 낮에는 잠깐만 자야지 오래 자면 안 좋아진다. 잠의 역할은 정리해 주는 시간을 갖는다. 안 좋은 질량이 있으면 밖으로 밀어내고 탁한 기운이나 필요 없는 사고도 전부 삭제해서 잊어버리게 해준다. 잠을 안 재우는 것은 그 시간에 공부하라는 것이다.

내가 모르면 막무가내가 되지만 알면 노력하지 않아도 내가 자동으로 바뀐다.

# ◆ 생각의 질량 / 내 환경 / 용서

생각의 질량이 높아야 잘 살아진다. 질 좋은 생각은 사회를 위해 나는 무엇을 할 것인가를 생각만이라도 그렇게 해라 그러면 내 환경이 좋아진다.

똑같은 일을 해도 생각을 어떻게 하느냐가 사회를 위하고 안 위하고 가 된다. 막노동을 해도 돈 벌려고 하느냐 내가 사회활동을 참여한다는 생각으로 하느냐가 내 앞에 펼쳐지는 환경이 달라진다.

좋은 생각은 좋은 에너지를 불러들인다. 내 옆에 사람이 잘 되는 거를 보고 기뻐해라. 그러면 다음은 내 차례가 된다. 생각의 질이 높은 사람의 생각은 모든 자연환경을 변화시킨다.

------------------------------------------------

상대가 내한테 그렇게 하는 것은 바로 지금의 내 환경을 말해주는 것이다. 내가 탁한 에너지로 쌓아 온 게 있다면 지금 내 앞에서 작용이 일어나고 있는 것이다.

지금 마음에 안 들더라도 내가 쓸어안고 잘 대하고 있으면 그 사람도 자연스럽게 달라진다. 나 자신을 돌이켜 보는 옵션 때문에 자연의 기운이 나를 돕기 시작하는 주고받는 에너지 원리가 있다. 내 만 하는 게 아니고 항상 자연과 같이 운행하고 있다. 우리는 한순간도 자연과 같이 안 하는 때가 없다.

상대를 얼마만큼 포용해 내느냐가 내 질량이다. 인간 한 사람 한 사람은 개체 에너지 별들이다. 인류는 서로의 질량을 뺏고 뺏기는 별들의 전쟁이다.

우리 아이들은 앞으로 이 사회 뜻있고 보람 있는 일을 하기 위해 참신하게 사회 공부를 하고 있는 중이고 우리는 부모로서 이 아이가 사회 아이로 잘 성장하도록 힘이 되어주는 역할을 하고 있다고 생각을 해야 한다.

내 먹고사는 사적인 생각 말고 항상 공적인 마인드로 가져갈 때 아이들은 그냥 잘 풀리게 자연이 작업을 다 해 준다. 자연은 사가 아니고 항상 공일 때만 동한다.

내 마음을 열고 생각을 키우면 모든 에너지를 품어 안을 수 있어진다. 오랜 습관이 있어 금방은 안되겠지만 바른 걸 알고 나면 나도 모르게 서서히 바뀐다.

지금 시대는 물질이 아니고 정신을 일깨워 주는 게 바르게 도우는 것이다. 내한테 도움 되고 내가 이롭게 했을 때 그 사람하고 가까워질 수 있다.

남을 바르게 위하고 사는 사람은 절대 아파지질 않는다.

평소에 내가 부드럽게 하고 지내면 내한테 들어오는 것이 강하게 안 들어오고 부드럽게 들어온다. 강하면 깜깜하고 부드러우면 다 보이는 것이다.

-----------------------------------------------

용서는 사람이 할 수 있는 게 아니다. 대자연에서 스스로 이끌고 가는 거기 때문에 사람이 사람을 용서할 수 없는 것이다.

대자연의 법칙으로 일어날 일이 있어 일어난 것으로 뭐든지 보는 관점에 따라 소화할 수도 있고 걸릴 수도 있는 것이다.

## ◆ 지식 / 이해 / 생활도

인류의 혼 이것이 지식이다. 지식을 먹었다는 것은 용이 여의주를 먹었다 와 같은 것이다. 지식은 엄청난 질량의 에너지임을 알아야 한다. 지식과 문화는 인간만이 희생하면서 생산하고 이루어 놓은 것이다. 지식은 사람이 살아가는 도리를 아는 게 지식이다.

영혼을 성장시키기 위해 지식을 갖추는 것이고 육신을 보존하기 위해 음식을 먹는 것이다. 비물질 에너지인 영혼이 지식을 배양하고 생산한다.

지식이 모이면 내공이 생기고 내공의 힘은 모든 에너지를 끌어당긴다. 육신은 지식을 전달하고 말로 배출하는 역할을 한다.

우리 본은 먹는 게 아니고 배우는 것이다. 지식을 갖추면 내공이 생기고 여기에 진리를 흡수하면 내공에 밀도가 강해져 지혜가 열린다.

----------------------------------------

그냥 아는 것은 안되고 알고 이해를 해야 내 힘으로 들어온

다. 처음 듣고 알은 만큼을 가지고 다시 들을 때 그때 처음 들을 때 이해 안 되던 것이 다시 들을 때 이해가 된다.

사람은 아는 만큼 이해하게 되고 이해할 때 내 영혼의 질량이 높아지고 에너지가 커진다.

돈은 국민들의 피와 땀이고 노동의 대가로 사람들의 기운이 서려 에너지가 결집되게끔 만들어 놓았다.

돈이 뭔지 모르고 돈을 욕심으로 가지면 오만가지 일로 상처를 입게 되고 그 돈은 떠나게 되어 있다.

---

생활 도는 생활 속에 모든 것이 공부거리를 둔 것이다. 사람은 생각이 항상 발전하고 있어야지 멈춰가 어떤 시간이 너무 오래가면 다쳐야 되던지 죽어야 되던지 내한테 어떤 변화가 일어난다. 더 안 갈 거면 다른 사람들의 교과서가 되어 희생된다.

정신이 살아 있어야 되고 내가 발전하고 있어야 어떤 집단사고에 내가 포함되지 않는다. 후천시대 우리 생각은 사에서 공으로 에너지가 움직여야 한다.

생활 속에 바르게 사는 자연의 법칙이 진리이다. 정법 진리가 뭔지 이해를 해서 알게 되면 뭐든 잘하게 되고 잘하면 내가 안 어려워지고 안 아파진다.

나쁜 습관 버릇도 이해를 하고 알면 저절로 고쳐진다.

# ◆ 영혼 / 귀신 / 죽음

영혼은 원래 대자연에 스스로 운행되는 원소인데 인간 육신을 받아 인생을 사는 동안 많은 환경을 얻으면서 지식이라는 집착의 때가 묻어서 이제는 원소가 아니라 영혼이 된 것이다.

영혼은 육신 안에서 살면서 있었던 모양으로 집착의 잔재가 남아 있기 때문에 홀로그램 현상으로 사람의 형상이 보이게 되어 있다. 원소는 우리 눈에 보이지 않는다.

지금 살아남은 집착은 집착만큼의 높이를 가지고 있는데 이것은 지식 질량의 잔재이다. 이 질량은 또 한 생을 더 살면서 영혼의 질량이 더 올라가며 발전시키고 하는 이것이 윤회를 하러 오는 것이다.

그래서 오늘날 영혼의 질량이 좋아졌어 지식사회가 열리고 과학시대가 열린 것이다.

우리는 주체가 인간 육신에 담겨 있는 영혼이 주체이다. 육신은 음식을 필요로 하는 것이고 듣고 보고 하는 양식은 내 영혼이 필요한 것이다.

"인간" 완성을 향한 여정의 시작

우리는 내 영혼의 질량을 더 좋게 하기 위해 살고 있고 교육을 받고 하는 것이다. 영혼의 질량을 좋게 하는 것이 내 실력을 갖추는 것이고 내 실력은 상대를 이해시킬 수 있는 능력을 말한다.

내가 필요하기 때문에 들리고 보이는 것이고 사고를 일깨워 주려고 지금 보여주고 들려준다. 내 영혼 에너지는 말과 지식을 양식으로 받아먹고 질량이 커지고 힘을 쓰게 된다. 영혼의 질을 좋게 하기 위해 육신이 필요한 것이고 내 영혼의 질을 좋게 해서 가는 게 본연의 의무이다.

지금은 사회 자식들이 빙의가 많이 오고 있는데 원리를 모르면 막을 수가 없다. 영혼은 언제 내하고 놀게 되느냐 하면 내한테 준 사람들하고 소통이 안 되어 까깝해지면 외로워지고 외로워지면 우울해지는데 이때 귀신이 들어온다. 이것이 귀신 드는 원리이다.

영혼은 질량이 낮으면 구천에 떠돌고 질량이 높으면 중천으로 간다. 영혼은 집착의 모양이 있고 형식의 때가 묻어 있지만 영혼이 되기 전 원소는 모양도 때도 없다.

영혼 제도는 집착을 놓게 해주고 갈 길을 열어주는 것이고 중생 제도는 이해를 시켜 주는 것이다.

---------------------------------------------

신은 내가 자꾸 사용해야 발복한다. 극단순 하기 때문에 사

용 안 하고 있으면 가만히 있다. 귀신은 약한데 붙을 수 있지 질량이 높은 데는 절대 붙을 수가 없다.

귀신은 내가 답답하고 까깝할 때만 들어올 수 있다. 냄새를 안 풍기면 똥파리가 올수 없듯이 환경이 안되면 오지 못한다.

신은 우리하고 연결되는데 한이 있어야 연결되지 한이 없으면 연결 자체가 안된다. 귀신은 집착이 어느 정도 떨어진 그냥 기운으로 동참하고 아직 공부도 안되었고 법도 안 받은 집착신으로 자식 잘 되기만 바라는 영혼 신이다.

무당은 귀신의 힘을 빌려 능력 재주를 부리는 것이다. 집착으로 돕는다고 하긴 하는데 결국 나중에 내 인생에 도움이 안 된다. 내가 노력한 게 아니기 때문이다.

이제는 시대가 바뀌어 교회 절 무당 같은 이해 안 되는 짓은 이제 하면 안 된다.

구신 날구신 생구신은 집착이 아주 강하다. 대신은 일류를 위해 살은 영혼 신이다. 나라 대신은 그 시대의 스승 예수 부처 같은 백성을 위해 살다 간 것이다.

산신, 당산신, 터주 대신은 마을을 위해 노력하며 살았고 조상신은 자식을 위해 살은 것이다.

떠돌이 귀신은 개망나니 삼촌같이 술 먹다가 죽었다. 잡신은 공부도 안 하고 삶 자체를 왜 사는지도 모르고 값어치

　　　　　"인간" 완성을 향한 여정의 시작

없이 살다 간 것이다. 인간이 어떻게 생각하느냐에 따라 신의 작용 법이 달라진다.

신의 존재를 부정하면 인간 혼자 해야 한다. 신을 인정하지만 인간과의 관계를 부정하면 알게 모르게 약간 동참한다. 신을 인정하면 신이 30% 동참해서 신과 함께 한다.

북한은 신을 배제하기 때문에 신의 도움을 받지 못해 발전이 안되고 인간만 하기 때문에 힘이 드는 것이다. 남한은 신과 함께 해서 발전한 것이다.

-----------------------------------------

나는 죽어서 없어지는 게 아니고 영혼이 존재하고 죽음은 오는 것이다. 죽음은 더 발전하기 위해 희생하는 것이고 육신을 가지고 인생 사는 시간이 끝난 것이다.

동물은 먹이 사슬로 되어 있지만 홀로 살 수 없는 인간은 의지하게끔 되어 있어 결혼도 하고 신앙도 하는 것인데 자식이 정법을 만나 바르게 살면서 자유로워지면 부모는 눈을 감아도 여한이 없는 것이다.

제7장

정법 키워드
마스터 모음 3-3

# ◆ 원소 / 6006혈 / 마음 에너지

인간 나는 대우주의 주체 운용자인 원소이다. 우주 운행을 잘못하는 바람에 까깝하고 답답해진 것이 바로 탁해졌다는 것이다.

우리는 자연을 운행하는 원소이기 때문에 항상 주파수를 맞추어 순행해야지 역행하면 어려워진다. 기후는 인간의 생각에 맞추어 바뀐다.

보는 사물과 내 생각이 차이가 나는 이것들을 살아가면서 원소에 이런 것들이 젖어가지고 안에 때를 묻힌다.

그래서 몸에서 분리가 되어 나갈 때  영체에 다른 것들이 묻혀 있어 영혼은 인간 같은 모양으로 볼 수 있는 것이다. 원소는 영적으로도 모양을 보지 못한다.

------------------------------------------------

인간 육신 육기에 6006개의 에너지 통로가 있다. 이것을 6006혈이라 하고 기문이라고 한다.

영아가 태어나자마자 갑자기 소스라치고 얼굴이 새파랗게 질려 첫 울음을 터뜨리는 것은 이것이 모공 6006개 기문으로 방금 도착한 원소가 짝 붙어 비집고 들어가기 때문이다. 원 대자연에 스스로 있는 원소가 우리 육신에 들어올 때 모공 6006개 기문으로 들어오는데 영아가 태어남과 동시에 이 원소는 아주 짧은 시간 안에 영아 몸 안으로 들어가야 한다.

그러니까 서로 다른 두 차원 물질 육신과 비물질 원소가 도킹을 하게 된 것이다. 영아가 늦게 나오는 것은 영혼이 아직 도착을 안 해서 나오지 못하는 것이다.

------------------------------------------------

이 원소 에너지가 6006혈로 들어갈 때 모공마다 스파크가 일어나면서 에너지 입자가 하나씩 생성된다. 이 입자 6006개가 저들끼리 순식간에 짝 악 당겨 뭉쳐진 것이 하나의 새로운 다른 에너지인데 이것이 "마음 에너지"이다.

여기서 지혜가 나오고 지혜는 남을 위할 때만 나온다. 양심이나 불안감도 내 마음 에너지에서 알려준다. 인생 동안 자신이 살아나온 모든 환경과 파장 주파수들이 마음 에너지 입자 파장 안으로 전부 다 연결되어 이 기억장치들이 홀로그램으로 전부 모인다.

인생 시간을 마감하고 떠날 때는 영혼과 마음 에너지도 같이 떠나서 기억장치 파일들이 전부 다 대자연에 스스로 남게 되는 것이다.

# ◆ 천부경

천부경은 하늘이 어떻게 생성되어 있고 지상은 어떻게 빚어 어떻게 쓸수 있게 되어 있고 인간은 어떻게 살아야 하는지에 대한 운행 법도이다.

천지 대자연에 스스로 있는 에너지가 천지를 창조하여 우리 원소들의 원죄를 소멸할 수 있도록 지구 교화소를 만들었고 인간 육신을 빚은 것이다.

서로가 상생하는 삶을 살아가면서 지상의 모든 것을 활용하여 탁해진 업을 소멸하고 다시 원시 반본 할 때까지 인간들이 살아가야 할 대자연의 근본 운행 법도를 81자의 말씀으로 인류의 지도자 민족인 우리 백의민족 천손들에게 직접 우리 말로 내려주신 유일한 가르침이다.

그리고 이것은 인류의 모든 종교 사상을 품고 있는 대자연의 근본이 되는 경이다.

"인간" 완성을 향한 여정의 시작

# ◆ 차원수

## < 3차원 >

3차원은 두 가지로 풀이한다.

첫째, 대자연의 함수인 3 대 7의 법칙에 의해 공한한 대우주에서 30프로의 기운을 압축하여 빚어 놓았으므로 이 지상을 3차원이라고 한다.

둘째, 2차원인 지기에서 대우주의 핵심 세포인 인기가 들어와서 이루는 총체적인 기운으로 지상 3차원을 뜻한다.

천 ·지 ·인 삼합을 이루는 기운으로 인기가 들어와서 2차원인 천·지 기운을 운용할 때 비로소 3차원이 동하는 것이다.

이것이 천부경 지극장의 "천이삼 지이삼 인이삼" 전체가 3차원의 구성을 말하며 3차원의 구성요소인 천·지·인의 인은 인기를 뜻한다. 대우주의 핵심 세포인 원소로서, 생·사가 없으며 하나하나 각각의 역할을 하며 상생의 원리에 의해 대우주를 스스로 동하게 한다.

이것이 천극장의 "인일삼"의 인이다. 하나라도 없으면 대우주가 존재할 수 없는 존엄성을 가진 독립 체적인 기운을 뜻한다. 그래서 "천상천하유아독존" 인 것이다.

대우주 상생의 원리에서 원소가 억업년 동안 역행으로 죄를 지어 기운이 30프로가 탁해지면 이 기운은 무거워져 맑은 기운과 같이 머물 수 없고 분리되어 지상 3차원에 보내진 것이다.

이것이 동물 육신 70%의 인간 육질에 육천 육혈로 대우주의 원소 30%인 내가 들어옴으로써 천기, 지기와 원소인 내가 대 삼합하여 '인'이라 칭하며 3차원의 주인공이 된것이다. 이것은 천부경 지극장의 '육'도 된다.

이때부터는 대우주에서 관리하는 것이 아니라 2차원 지기에서 생명을 받아 지기의 관리를 받으며 이제는 대우주의 천신도 아니며 2차원의 구성 물질 동물도 아닌 중간 삶을 사는 인간인 것이다. 이것이 천부경의 "이명인중"이다.

이러한 3차원의 인기는 대우주에서 원죄를 짓고 이 지상으로 정화되기 위해 쫓겨와 수 없는 윤회 속에 수만 번을 육신과 신분을 바꿔가며 태어난다 해도 한 치도 업을 소멸할 수 없다. 이것이 천부경 인극장의 "만왕만래 용변 부동본"이다.

이 뿌리국 이 땅에 태어나 36년간 상대를 위해 티 없는 덕행을 실천하여 존경받는 삶을 살아야 맑은 에너지가 형성

"인간" 완성을 향한 여정의 시작

되어 원죄를 소멸하고 다시 대우주의 세포인 원소로 돌아갈 수 있다. 이 3차원의 인기는 공의 차원에서는 대우주의 구성 물질로 "원소"라 하고 3차원에서는 탁해져 변화된 기운으로 "인기"라고 한다. 질서상으로 천과 지 다음 세 번째를 뜻하며, 이것이 천부경 천극장의 "인일삼"이다.

이 인기 인간도 우주의 법칙 3 대 7의 함수에 의해 70%의 물로 형성되어 있으며 이 물의 기운으로 7차원과 연결되어 있으며 체온도 37도 이며 모든 뼈도 3등분으로 빚어져 있다. 상체에는 7개의 구멍이 뚫려 있으며 하체에는 3개의 구멍이 뚫려 있다. 이것을 두고 우리 인체를 소우주라 표현한 것이다.

이 3차원은 본래 존재하지 않은 것으로 "인"이 모두 정화되어 대우주로 돌아가면 교화소의 역할을 다 한 것이므로 자동 파괴되어 광활한 대우주에 먼지보다 더 미세한 구성 물질로 돌아가는 한시적인 것이다.

3차원은 시간과 공간이 분리되어 있으나 4차원은 영·혼기가 동시에 존재하므로 시·공을 초월한다. 특히 4차원의 영·혼기는 물질이 존재하지 않으므로 공간에 구애받지 않고 영혼은 시간에 따라 늙는 것이 아니므로 시간도 초월한다. 인기는 인육에 왔을 때는 시·공이 있지만 인육을 벗어난 4차원에서는 시·공이 없다.

3차원의 인기는 여기에서 혹독한 삶을 살아간다. 이것이 천부경 인극장의 "삼사 혹한"이다. 1, 2, 3차원은 천극장에 "천일일 지일이 인일삼"의 일,이,삼이며 "석삼극"의 삼이 곧 이 3개의 차원을 말한다. 이것이 현재의 대우주와 지상의 생성원리를 나타내며 천·지·인 삼신 사상을 뜻한다.

대우주 원소에서 이 지상 3차원의 인기가 되었을 때는 천이 첫 번째이며, 지가 두 번째, 인이 세 번째라는 이 근본은 절대 변할 수 없음이다. 이것이 천부경 천극장의 "무진본"이다.


## < 4차원 >

4차원은 영혼기를 뜻하며, 대우주의 세포 원소인 인기가 생을 다하고 가는 곳이며 3차원과 동시에 존재하지만 유·무로 분리된 차원이다.

유의 세계 3차원은 혹독하게 살지만, 무의 세계 4차원은 차디차고 냉정하다. 이것이 천부경 인극장의 "삼사 혹한"이다.

영혼기는 시간 개념이 존재하지 않고 3, 4차원을 왔다 갔다 하는 공간 제약도 받지 않는다. 3, 4차원을 왕래하는 이

"인간" 완성을 향한 여정의 시작

것을 윤회라고 한다.

우리는 이 지상 3차원에 와서 수없는 윤회를 통하여 서쪽으로부터 동으로 동으로 이동하여 이 땅의 뿌리국에 태어난 민족이다.

4차원의 대신계는 우리가 3차원에 살 때의 공과 행에 따라 대신의 위치가 정해지는 것으로 윤회가 마지막인 이 민족의 상층 신분들이 여기에 해당되며 차원계도 서열은 엄격하다. 4차원의 영혼계에는 원래 정해진 법도가 없다.

4차원의 법도는 인간들이 어떻게 하느냐에 따라 운용 자체가 바뀐다. 즉, 인간이 하는 대로 이루어진다.

영혼신이 되면 인간에서 가지고 있던 마음 에너지가 파괴되어 극 단순해진다. 그래서 3차원에 있는 인연 닿는 인간이 깨친 만큼 그 인연이 이끄는 대로 따라가게 된다.

인간들은 영혼신을 높은 존재로 보지만 어디까지나 인간이 주인이고 신은 협조하기 위해 있는 것이다. 우리가 깨친 만큼 영혼도 깨쳐 그 역할을 할 수가 있다.

인간이 바르게 깨우쳐 참 행을 할 때 4차원의 영혼도 같이 동참하게 될 때 그 영혼도 그 행에 대한 공답으로 자신의 업을 소멸할 수 있는 것이다

## < 5차원 >

5차원은 "마음 에너지"를 가진 완성된 인간과 그 인간의 기운을 뜻한다. 마음 에너지의 마음는 대우주 구성 물질이다. 3차원에서 육신을 받아 태어날 때 2차원의 동물육질이 나오면 여기에 육천 육혈로 들어가는 우주의 원소 기운과 동물 육질의 기운이 도킹할 때 발생한 스파크 에너지 입자가 뭉쳐져 형성된 것이 마음 에너지이다.

마음 에너지는 대우주에는 존재하지 않고 3차원의 인간 육신 안에만 존재하는 기운이다. 인생을 마감하고 4차원으로 가면 자동 파괴 소멸된다.

대자연은 이 마음 에너지를 가진 완벽한 인간을 만들기 위해 많은 진화를 거치게 되었으며 마음 에너지를 가지기 전의 인간은 2차원의 구성 물질인 동물로서 총체적인 인간의 기운 중에 70%의 기운에 해당된다. 여기에 마음 에너지를 가지면서 나머지 30%의 기운이 합쳐져 완전한 인간이 된 것이다.

이러한 완전한 인간에게 비로소 '문화'라는 개념이 들어서게 되었으며 이 마음 에너지를 가진 인간의 탄생으로부터 인류의 역사가 시작된 것이다.

인간의 지혜는 마음 에너지 안에 있다. 이 지혜는 최고의 기운 세포를 가진 인류의 지도자 민족만이 쓸 수 있으며 바른 분별을 할 수가 있다.

그 분별을 통하여 상대에게 티 없이 하는 덕행의 삶이 도의 삶이며 이 삶을 살았을 때 원죄를 소멸하고 나는 대우주의 원소로 다시 돌아갈 수 있는 것이다.

이 마음 에너지가 있어 동물과 다른 인간을 만물의 영장이라고 한다. 이것은 개인마다 모두 다르게 형성되며 여기서는 맑은 기운도 생성하고 독기나 탁기도 생성한다.

이 맑은 기운이 상대에게 전해져 상대를 움직이게 하고 이 기운은 다시 거룩하고 기쁜 에너지로 바뀌어 다른 상대에게 작용되는 것이다.

그래서 마음먹기에 따라 이 기운은 달라지게 된다. 인간을 인격체로 부르는 것도 5차원의 완성된 인간을 뜻하고 이 지상 3차원은 5를 중심으로 구성되어 있다. 천부경 인극장의 "오칠일 묘련"의 오가 5차원을 말한다.


## < 6차원 >

6차원은 천·지·인이 대 삼합하여 빚어 놓은 차원이다.

5차원의 인간과 2차원의 육을 가진 생명체와 더불어 인간이 모든 인연들과 연결 변화되어 활용하면서 나오는 기운과 3차원의 모든 구성물과 교류하고 우리에게 이루어질 때 형성되는 기운이다.

3차원의 살아있는 모든 에너지가 6차원이며 이것은 인간을 깨치게 하기 위한 방편이다. 이 방편을 사용해서 탁한 기운을 정화시켜 다시 맑고 공한한 대우주로 돌아와 정상적인 대우주로 회복시키기 위한 대자연의 안배이다.

6차원의 모든 생명체는 물로 번식하며 물의 기운인 수기에 의해 7차원의 천기와 연결되어 있다. 천부경 지극장의 "대 삼합"에서 차원 숫자 1,2,3을 더하여도 6이 되며 또한 "육생 칠팔 구운"에서의 육을 말한다.육중에서도 최고의 완성품은 인육이며 뒤에 생과 합하여 인생을 뜻한다.

이것이 천부경 인극장의 "이명인중"이다. 이때 6차원에서 활용되어 나오는 에너지가 생에 들어가서 상생의 원리로 덕행을 실천하여 나오게 되었을 때 나오는 거룩한 에너지가 8차원 기운이다.

천부경 81자는 육이 가운데 중심에 놓여 있고 육을 기점으로 앞 글자 40자와 뒷글자 40자로 이루어져 있다. 6차원까지가 3차원으로 들어오는 나열, 진행 순서 생성원리로서의 차원이다.

# < 7차원 >

7차원은 본래 공한한 대우주의 기운에서 3 대 7의 함수에 의해 30%의 질량을 압축하여 지상 3차원을 빚었고 나머지 기운 70%는 지금 비정상적인 천기를 뜻한다.

이 천기 7차원 속에 있는 본래의 대우주 핵심 원소 탁해 진 30%는 정화되기 위해 3차원에 와 있다. 원소가 30% 없는 대우주 공차원은 정상적으로 동 할 수 없어 공한한 상태로 운용되지 못하고 지금은 정지 상태다.

이 7차원의 천기는 1차원의 천기를 뜻하며 3차원에서 바라본 천기로써 5차원인 인기와는 서로가 묘하게 연결되어 있다. 이것이 천부경 인극장의 "오칠일 묘련"이며, 여기서의 칠은 7차원을 말한다.

우리가 소우주라고 표현하는 3차원의 인간 몸도 70%의 물로 형성되어 있으며 7개의 경추와 배꼽 위 7개의 구멍을 뚫어놓은 것도 천기와 3차원의 인기와의 관계를 뜻하는 것이다.

사람이 죽으면 관에 칠성판을 까는 것도 죽어서 천기로 돌아간다는 의미가 있으며 하늘의 별자리인 북두칠성 7개의 별도 7차원의 의미가 내포되어 있음을 생활 속에서 볼 수 있다. 또한 칠석인 음력 7월 7일은 천기와 3차원의 지기가 합일이 되는 날이기도 하다.

7차원의 7과, 3차원의 3이 합한 수 10의 0은 대우주의 본래의 공한한 기운이며 7차원의 천기는 지극장에 나오는 천을 뜻한다.


## < 8차원 >

8차원은 인생을 사는 행속에서 만들어지는 차원이다.

마음 에너지의 2차원과, 6차원의 기운을 활용한다. 맑은 기운으로 행 했을 때와 탁한 기운으로 행 했을 때를 구분하고 여기서 나오는 에너지를 가지고 8차원 기운을 형성한다. 탁한 마음먹고 행 했을 때는 8차원의 기운이 형성되지 않는다는 것이다.

상대에게 덕행을 할 때 마음 에너지가 작동하여 6차원 에너지가 나온다. 이 에너지가 상대에게 작용하여 상대한테서 밖으로 풍기는 기쁨과 존경의 에너지 이 기운이 뭉쳐져 열매, 완성품을 형성하는 이것이 8차원의 기운이다. 이러한 최고 완성품의 열매는 인간과 인간의 상대성이론에 의해 완성된다.

즉, 상대에게 죄를 지어 지구에 왔으므로 상대에게 순간

"인간" 완성을 향한 여정의 시작

의 기쁨이 아닌 영원한 기쁨을 주어야 한다. 이 기쁨은 진정 나의 마음이 전해져서 전달되어야 가능함으로 천부의 진리에 따른 바른 덕행에서만 가능한 것이다. 그렇게 하기 위해서는 상대 없이는 할 수 없으며 그 상대가 없다면 내가 그 일을 할 필요가 없고 대자연이 3차원과 육을 빚을 이유도 없었다. 그리고 상대와 같이 살게 할 이유도 없다. 이것이 진정한 상생이며 인간 게놈 프로젝트의 완성품이다. 각기 개인마다 다르게 형성되는 것이 8차원 기운이다.

생성될 수도 있고, 생성 안될 수도 있는 차원으로 이것이 생성되어야만 9차원이 형성되고 그래서 본래의 대우주 원소로 돌아가는 것이다.

대우주, 상생의 원리에 역행하여 핵심 원소 세포에 흠집이 생겨 탁하게 된 이 기운이 30% 형성되면 더 이상 대우주의 원소로서 역할을 할 수 없는 죄인의 신분으로 3차원 공간인 지상의 교화소로 보내진다. 탁한 기운을 정화 시키고자 탁한 인연들끼리 서로가 빚쟁이 고리로 연결해 놓고 서로에게 참형으로 원죄라는 빚을 갚도록 한 것이다.

그중 직접적인 빚쟁이가 부모와 자식 간이고 그다음 부부 형제 순이며 간접적인 빚쟁이 관계는 인연법으로 인연을 형성시켜 빚을 갚도록 해 놓았다. 이것을 깨닫고 상대를 위해 진정으로 바른 행을 했다면 그 바른 행의 기운이 상대에게 전해져서 상대에서 나오는 기운이 기쁨과 존경의 에너지로 변해 이것이 8차원의 기운으로 바뀌어 나에게 이롭게 돌아와 내 업이 소멸되는 것이다.

그러므로 이 기운이 나에게 많이 감쌀수록 내 탁한 기운은 스스로 정화되어 본래의 기운으로 돌아가게 된다. 8차원의 기운이 형성된다는 것은 내 삶을 내 그림으로 그리고 사는 것을 말하고 이 8차원의 기운을 만들어가는 것이 너의 팔자이다.

사주는 지상에 올 때 대우주에서 받아오는 것으로 목적성을 띠고 있으며 인생의 밑그림의 30%를 차지한다. 여기에 나머지 70%를 나의 맑은 기운 에너지로 채워 넣어 멋진 한 폭의 그림이 되었을 때 바른 삶을 살았다고 한다.

그러나 사주의 힘으로 인기는 있었으나 자신이 만들어가는 팔자의 존경을 받지 못하면 인생무상의 삶으로 전락하게 되어 8차원은 생성되지 않는다.

그래서 사주대로 살아야 잘 사는 것이 아니다. 받아 온 사주에 팔자의 밑그림을 멋지게 완성하여 존경받는 삶을 살 때 이것이 곧 인생 유상이 되는 것이고 원죄를 갚고, 대우주로 다시 돌아갈 수 있는 9차원 에너지를 생성할 수 있다.

상생의 원리에 따라 덕과 지혜로 자신의 소질을 계발하여 상대를 위한 참행만이 8차원의 기운을 만들어 업을 소멸하는 유일한 길임을 알아야 한다. 이것이 천부경 지극장의 '육 생 칠 팔 구 운'의 팔이다.


## < 9차원 >

9차원은 8차원 기운이 모아져 자동으로 분리 생성해 내는 에너지를 말한다. 8차원까지는 열매를 생산한 것이고 9차원은 행한 공답을 수확하는 차원이다.

8차원에 기쁨의 에너지가 모이면 엄청난 기운을 만들어 내고 티 없이 맑은 이 기운은 스스로 동하게 된다. 내가 행한 이 기운이 뭉쳐 변할 때는 무겁고 탁한 3차원 기운과 맞지 않아 스스로 맑은 0차원, 운의 차원으로 분리된다. 이것이 천부경 지극장의 "육 생 칠 팔 구 운"의 구이다.


## < 10차원, 운의 차원 >

운의 10차원은 9차원 에너지가 맑고 가벼운 에너지로 변하여 무게 질량이 있는 3차원에 있을 수 없고 스스로 떠버린다. 이것이 곧 천도이며 하늘의 길을 여는 것이다.

천도는 내 기운을 스스로 정화하는 운명을 다하고 본래의 원소로 티 없이 맑게 돌아가는 것을 말한다. 이 원소는 0의 차원이고 본래의 대우주 주체 기운이다.

본래의 대우주도 0의 차원이고 3차원이 빚어지기 전 그 안에 있는 원소도 클랙 흠이 없는 건강한 세포이다.

천극장 "천일일 지일이 인일삼"의 공통적으로 나오는 일과 인극장 "일종 무종일"의 일은 0의 차원으로 대우주를 말한다.

대우주는 무한한 0의수로 차원이 없으면서 있는 수 즉, 공한한 수이다. 0의 차원으로 돌아가는 과정은 지극장의 "육 생→칠→팔→구→운" 순으로 3차원에서 대우주 본향으로 가는 것이다.

"인간" 완성을 향한 여정의 시작

# "결혼식"
## 아버지의 바른 덕담 한마디


안녕하십니까? 저는 신랑 아버지 이자 신부 시아버지 될 OOO입니다. 어려운 코로나 시국에도 불구하고 이렇게 귀한 시간 내어 주신 하객 여러분께 진심으로 감사의 인사드립니다. 오늘은 우리 아이들이 부부의 연을 맺고 새로운 인생의 첫발을 내딛는 뜻깊은 날입니다. 이렇게 좋은 날 새롭게 시작하는 두 아이가 주례 대신 축하해 달라는 부탁과 그리고 당부의 말이 있어 오늘 이 자리에 섰습니다.

존중하고 사랑하는 OOO OOO 먼저 너희 결혼을 진심으로 축하한다. 벌써 성년이 된 너희가 지금까지는 서로가 다른 환경으로 살아왔지만 이제는 한 가정의 부부로 참신하게 새롭게 시작하는 한 가족이 되는구나.

서로의 상식이 다르고 성격이 다른 두 사람의 결합이 결코 쉽지만은 않을 거라는 생각도 든다. 하지만 요즘처럼 똑똑한 너희들이 키만 바르게 잡고 뭐든지 의논하겠다는 근본만 세우고 간다면 결혼생활이 그리 어렵지만은 않을 거라는 생각도 든다. 결혼은 서로가 모자라는 거를 채워주는 목적이 있다.

신랑이 부족한 게 있으면 신부가 채워주고 신부가 부족한 게 있으면 신랑이 채워주는 서로의 역할이 있고 임무가 있는 거다. 물론 서로의 마음을 채워준다는 게 쉽지는 않겠지만 서로가 최대한 맞춰가야 하는 게 부부다. 나만 옳다고 주장하지 말고 나와 다른 성격을 인정하고 존중하고 항상 의논하겠다는 소신을 가져라.

그리고 또 서로가 뭔가를 의논할 때는 내 생각은 이러이러 한데 당신 생각은 어때요? 라고 물어봐라 같이 살면서 이렇게 물어보면 서로가 존중되고 또 서로가 존중할 줄 아는 공부로 돌아간다.

인생의 새로운 전환점에 선 너희들은 서로가 노력하면서 살 수 있는 그런 것들만 약속하면 된다. 배울 것이 있을 때는 서로가 배울 수 있도록 도와야 하고 서로를 위해서 살아야 한다. 내 욕심부리지 말고 내 방식을 고집하여 상대를 고치려 하지 말고 의논해라.

이것이 결혼생활을 바르게 하는 너희 집안의 법이다. 과거 방식은 전부가 위험하고 지금 사회에 맞지 않다 의논하는 걸 연습해서 모든 걸 맞춰가라 둘이서 이제 만났으니 서로가 노력해라 노력은 의논하는 게 노력이다. 이게 아직 습관 때문에 잘 안되기는 하겠지만 신혼 3년이라는 시간은 중요하다 주장하지 말고 의논하는 걸 노력해서 맞춰가라. 그래서 영원히 화목한 가족 만들어라

오늘 여기 오신 모든 분들이 한마음으로 뜻을 모아 너희들을 응원하고 있다는 것도 잊지 말거라. 너희들 결혼식을 다시 한번 축하한다.

끝으로 저희 아들을 흔쾌히 사위로 맞아 주시고 따님을 이렇게 예쁘게 키워주신 사돈 내외분께 깊은 감사의 말씀드립니다. 그리고 또 훌륭한 아들로 키우신다고 애쓰신 저의 소중한 아내 OOO 님 수고 많으셨습니다. 감사합니다.

이것으로 우리 아이들 결혼 축하 덕담을 마치겠습니다 오늘 이 자리를 빛내주고 계신 모든 하객 여러분께 양가 혼주를 대표해서 다시 한번 감사의 인사드립니다.

감사합니다

# 원 대자연 = 암흑 물질 + 원소(세포)

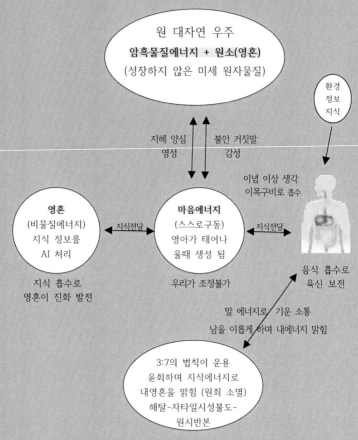

원 대자연 우주
**암흑물질에너지 + 원소(영혼)**
(성장하지 않은 미세 원자물질)

환경
정보
지식

지혜 양심　　불안 거짓말
영성　　　　감성

이념 이상 생각
이목구비로 흡수

**영혼**
(비물질에너지)
지식 정보를
AI 처리

지식전달

**마음에너지**
(스스로구동)
영아가 태어나
울때 생성 됨

지식전달

지식 흡수로
영혼이 진화 발전

우리가 조정불가

음식 흡수로
육신 보전

말 에너지로 기운 소통
남을 이롭게 하며 내에너지 맑힘

3:7의 법칙이 운용
윤회하며 지식에너지로
내영혼을 맑힘 (원죄 소멸)
해탈-자타일시성불도-
원시반본

원대자연은 물질에너지 하느님과 영혼이 되는 비물질 원소에너지 두 가지만 있다. 3차
원은 열처리로 뭉처 인간에서 사람되기까지 한시적 연장으로 운용하는 것이고
인간 육신도 지식을 전달하는 도구로 물질인 음식을 먹고 잘 보전해서 비물질지식
에너지가 들어오면 마음에너지를 거처 내 영혼이 흡수하는 질량을 키우는 역할이다.

　　　　　　"인간" 완성을 향한 여정의 시작